P9-DSW-248

LE VILLAGE DES CANNIBALES

ALAIN CORBIN

LE VILLAGE DES CANNIBALES

Collection historique
fondée par
PAUL LEMERLE
et dirigée par
MAURICE AGULHON
et BERNARD GUENÉE

AUBIER

Une carte de la région
se trouve pages 162-163

© Aubier, 1990
ISBN 2-7007-2226-4
Imprimé en France

Prélude

16 août 1870. Hautefaye. Commune de l'arrondissement de Nontron. Dordogne. Un jeune noble est supplicié durant deux heures, puis brûlé vif (?) sur le foirail, en présence d'une foule de trois à huit cents personnes qui l'accuse d'avoir crié : « Vive la République! » Le soir, les forcenés se dispersent et se vantent d'avoir « rôti » un « Prussien ». Certains regrettent de ne pas avoir infligé le même sort au curé de la paroisse.

Février 1871. Le journaliste républicain Charles Ponsac met en évidence ce qui constitue le drame en objet historique.

« Jamais, écrit-il, dans les annales du crime, on ne rencontra un meurtre aussi épouvantable. Quoi! cela se passe sous le soleil, en pleine frairie devant des milliers de gens *(sic)!* Quoi! ce crime révoltant n'a même pas l'ombre pour excuse! Dante a bien raison de dire que l'homme a, parfois, une luxure plus hideuse, la luxure du sang [1]. » Et le même, un peu plus loin : « Le crime d'Hautefaye est un crime en quelque sorte tout politique. »

Dans cette tension entre l'horreur et la rationalité politique résident l'énigme de Hautefaye et la fascination qu'elle ne cesse d'exercer. C'est donc à l'histoire de ce qui noue puis dénoue ce couple qu'il nous faut recourir pour faire la lumière sur ce qui fut, en France, le dernier des massacres nés de la fureur paysanne.

CHAPITRE I

LA COHÉRENCE DES SENTIMENTS

Il ne s'agit pas, ici, de faire l'histoire du Périgord au XIXe siècle mais de détecter les ingrédients qui entrent dans cette alchimie, étrange aux yeux des contemporains, qui produit la cruauté de Hautefaye. Le recours au passé s'impose non pour discerner les causes de ce drame – la démarche serait naïve, vaine et obsolète –, mais pour en percevoir le sens, pour pénétrer les mécanismes psychologiques qui conduisent au massacre.

La logique du comportement de la foule possède ses racines. Le drame de Hautefaye demeure opaque à qui se refuse de déduire les paroles et les gestes des représentations de soi et de celles de l'autre. La saisie de l'événement impose l'histoire des figures sociales de la menace et, plus précisément, la généalogie de cette nébuleuse cohérente – mais aberrante aux yeux des témoins comme des historiens – qui, dans les campagnes du Périgord, enserre dans le réseau imaginaire d'un terrible complot le noble, le curé, le républicain et le Prussien.

Évidemment, cette quête trouve ses obstacles dans la

nature même de l'archive et dans les modalités de sa production. Il importe ici de se garder de reproduire et d'épouser trop étroitement l'interprétation des observateurs, administrateurs pour la plupart; il faut demeurer au plus près des acteurs, se tenir à l'écoute de leurs cris, du discours de leur vantardise; il convient de repérer leurs gestes, fût-ce les plus minuscules [1]; l'essentiel étant de revivre ce moment du 16 août 1870 où l'inquiétude sourde vire à l'angoisse irrépressible, que seul le déchaînement du massacre paraît pouvoir apaiser.

I – *La paille et le joug*

La paysannerie du Sud-Ouest déteste la noblesse; le fait est bien connu; il semble aller de soi. Il faut toutefois s'efforcer de démêler le réel de l'imaginaire et, surtout, de repérer leur interaction. En Périgord, les châteaux sont alors très nombreux [2]. Ce fourmillement résulte probablement de la situation frontalière qui était celle du pays durant la guerre de Cent Ans. Cette omniprésence a fortement contribué à dessiner l'image de la région. *Jacquou le Croquant* hante les mémoires. La Dordogne semble à tous une zone de grande propriété détenue par une noblesse arrogante [3].

Grâce à Ralph Gibson, nous savons que la vigueur de ces stéréotypes résulte, en partie, du long travail effectué sur l'imaginaire par une bourgeoisie rurale dont on a trop longtemps minimisé l'ampleur et la puissance. Celle-ci connaît son apogée sous la monarchie de Juillet, avant de s'effriter et de se voir relayée par une élite citadine, qui s'efforcera à son tour de façonner les images sociales. Cette bourgeoisie rurale détient nombre de mairies à la fin de la monarchie censitaire, notamment dans l'arrondissement de Nontron; il importe pour elle de masquer ou de faire oublier son avarice, ses pratiques usuraires, son manque de charité, la dureté dont elle fait preuve en affaires, la manière dont elle traite ses métayers [4]. Il convient d'éviter qu'une analyse trop lucide ne la prive, dans l'esprit du paysan, de l'avantage que lui procure la longue histoire du combat mené contre la noblesse.

Par une « manipulation astucieuse des animosités séculaires [5] » et des données du réel, la bourgeoisie rurale tente d'accaparer, d'amplifier et de diffuser au cœur des campagnes, le prolixe discours anti-noble élaboré sous la Révolution [6]. Cette puissante construction imaginaire, fondée sur la dénonciation de caractères biologiques plus encore que sur l'énoncé de la vindicte sociale, se révélera d'une grande solidité tout au long du XIXe siècle. Par son intense pouvoir de déformation du réel, elle constitue un élément décisif de l'histoire des représentations de la société; on peut même penser qu'elle a pesé sur les comportements de nobles tentés de se conformer à l'image élaborée à la fin du XVIIIe siècle.

L'essentiel donc, pour cette bourgeoisie rurale trop longtemps négligée des historiens, est de canaliser les antagonismes sociaux; de les détourner de la richesse et de la possession de la terre, qu'elle vise avec succès, et de les diriger vers l'homme et vers la « caste ». Pour ce faire, elle accentue le rôle de la généalogie, elle souligne exagérément la morgue, l'insolence du noble, dont elle a elle-même souffert plus cruellement que l'agriculteur; elle désigne et stigmatise le souci avec lequel l'aristocratie s'efforce de maintenir la distance sociale; elle indique au paysan, avec lequel elle partage la haine, que cette hauteur dessine le clivage social décisif. Or, son pouvoir de persuasion est grand. « Elle est en contact immédiat avec les paysans et a sur eux cette influence que donne l'instruction et l'aisance, influence qui n'est pas diminuée par la méfiance qu'inspire au peuple l'aristocratie [7]. »

Plus précisément, la bourgeoisie rurale approuve et s'efforce d'aviver la crainte paysanne d'un retour aux privilèges; elle brandit le risque de la restauration des rentes et des droits féodaux, du rétablissement de la justice seigneuriale, de la restitution des biens nationaux. Elle s'emploie à conforter par la rumeur la croyance en un complot mythique qui ne cessera de hanter la masse rurale jusque vers la fin du siècle. Elle souligne le caractère intolérable des emblèmes et de tous les signes de distinction : girouettes sur les tourelles du château, bancs à l'intérieur des églises, fleurs de lys sur les blasons... Elle exagère, nous y reviendrons, l'étroitesse de l'alliance que nouent le clergé et la noblesse; elle exacerbe, ce faisant, au sein de la paysannerie parcellaire, un anticléricalisme endogène fondé sur les tensions séculaires que l'on sait.

La bourgeoisie rurale agit sur une société pleine, non encore déséquilibrée par l'exode rural [8], au sein de laquelle la complication du tissu social facilite la médiation, favorise l'infiltration, le relais, la transmission des images disqualifiantes.

Cette stratégie bourgeoise et les modalités du fonctionnement autonome de l'imaginaire au sein de la masse paysanne ancrent un système de représentations assez éloigné de la réalité. La noblesse périgourdine [9] se révèle alors fort hétérogène; elle est pénétrée d'éléments extérieurs qui raffinent, exagèrent les codes et qui tendent, plus que les vieilles familles, à se conformer à l'image née de la Révolution. La richesse de cette classe apparaît, somme toute, limitée. En fait, la région n'est pas véritablement une zone de grande propriété nobiliaire. Sous la monarchie censitaire, le corps électoral est ici constitué de bien « piètres notables » [10], notamment dans le Nontronnais; et cela, malgré l'extension du métayage dans cette petite région. La noblesse de la Dordogne, particulièrement celle du nord du département, n'a guère le sens des affaires; rares sont, en ses rangs, les individus soucieux d'agronomie. « L'aristocratie, avec ses préjugés paternalistes et son peu de souci de la rentabilité, n'exploitait que très modérément le paysan [11] », sur lequel, en outre, elle exerçait peu d'influence.

Mais il existe des zones d'extension réduite, des îlots en quelque sorte, à l'intérieur desquels la noblesse a gardé une forte emprise. La réitération de l'allusion à ces microcosmes favorise l'efficacité du travail accompli sur l'imaginaire par la bourgeoisie rurale; elle autorise l'actualisation des vieilles haines. Il en est ainsi du canton de Mareuil, voisin de Hautefaye, désigné dans la région comme une « Petite Vendée » et dont l'épicentre se situe à Beaussac. La victime du drame, Alain de Monéys, adjoint de la commune, appartient à ce milieu limité, repoussoir peu représentatif du Nontronnais, qui sert à entretenir l'image mythique « d'une paysannerie inféodée à une noblesse aux allures d'Ancien Régime [12] ».

En fait, depuis la Révolution, les nobles périgourdins, prétendument impatients de restaurer l'ancienne société et tous ses privilèges, adoptent une attitude peu provocante. Ralliés du bout des lèvres au Premier Empire, ils se sont révélés discrètement frondeurs sous la Restauration [13]. Au lendemain de juillet 1830, la noblesse de la Dordogne entame, certes, une première émigration de l'intérieur. Quarante-deux officiers municipaux appartenant à cette classe refusent le serment. Il convient toutefois de ne pas exagérer l'ampleur de l'abstention. Près de la moitié des maires appartenant à l'aristocratie conservent leur charge. En 1821, 135 nobles étaient à la tête de leur commune (23 %); ils sont encore 62 (11 %) en 1841 et en 1861 [14]. Globalement, il convient enfin de souligner que la représentation censitaire de la Dordogne adopte jusqu'à la chute de Louis-Philippe une attitude modérée [15].

La majorité des nobles périgourdins se sont ralliés au

Second Empire, qui nous intéresse plus directement. Dans l'arrondissement de Nontron, en 1852, seuls deux officiers municipaux, l'un et l'autre de vieille noblesse, refusent le serment et trois autres doivent, selon le sous-préfet, « être considérés comme l'ayant refusé [16] ». Invoquer une hostilité franche, abrupte des aristocrates à l'égard du régime pour justifier le massacre de Hautefaye serait donc sans grand fondement. Mais c'est ici la bourgeoisie rurale qui, depuis décembre 1848, conduit le ralliement au prince-président puis à l'empereur; c'est elle qui en tire le plus grand bénéfice.

A vrai dire, l'apparente adhésion au régime n'empêche pas bien des nobles périgourdins de conserver des sympathies légitimistes; le fait est d'autant mieux perçu et désigné que l'administration, comme la bourgeoisie rurale, a besoin de cette sourde réticence pour conforter son emprise sur les paysans. Aussi ne cherche-t-elle pas à mettre en avant le ralliement [17]. Cette discrétion intéressée masque la réalité, conforte l'image d'une noblesse hautaine, nostalgique de l'Ancien Régime.

Toutefois, à la fin du Second Empire, se dessine une évolution paradoxale dont il convient de tenir compte. Des deux adversaires, la bourgeoisie rurale, précocement victime de son malthusianisme, est la première à s'effriter [18]. L'ennui sécrété par la campagne, l'étroitesse du cercle des relations qu'on peut y nouer, la fascination exercée par la ville, le souci de la carrière des enfants incitent à un exode que ne pratique pas encore une aristocratie, davantage fidèle aux traditions familiales, ancrée plus profondément dans la localité, mieux capable d'animer, loin des grands centres, les rituels de la mondanité. Bien que découragée, tentée d'adhérer à l'image d'elle-même produite par la littérature, assumée par l'environnement, la noblesse périgourdine retrouve de son importance relative, du fait de l'affaissement de son adversaire. Par la charité qu'elle déploie, par l'influence qu'elle exerce sur ses domestiques, ses métayers, les ouvriers de ses chantiers, elle constitue une force sociale non négligeable; d'autant qu'elle profite, elle aussi, de la prospérité.

Les nobles périgourdins, dont la morgue et l'insolence prétendues focalisent les passions, font preuve, semble-t-il, d'une certaine familiarité; ainsi, ils n'hésitent pas à fréquenter les foires; nouvelle preuve de distorsion entre l'image et la réalité des conduites. « Les nobles n'ont pourtant pas chez nous, confie en 1863 l'abbé Bernaret à l'évêque de Périgueux, cette allure tranchée, ce ton hautain, ces manières qu'on remarque ailleurs et semblent en faire des êtres à part. Ils s'immiscent à la bourgeoisie, se mêlent au peuple, et font comme les autres les affaires de commerce [19]. » Alain de Monéys paiera de sa vie cette attitude familière, cette proximité consentie qui ne suffisent pas à exorciser les haines et à désamorcer l'accusation de morgue. Dans l'Ouest ornais ou mayennais, un noble se serait, sans doute, contenté d'envoyer son régisseur ou l'un de ses fermiers à une foire de Hautefaye.

Il convient en effet de se garder de comparer la situation de cette noblesse nontronnaise, frileuse, bornée dans ses ambitions, à ces châtelains de la Mayenne, actifs bâtisseurs de châteaux et d'églises, rêvant de constituer une société construite sur le modèle de l'Angleterre verte [20].

Ce qui précède devrait permettre de mieux comprendre les modalités de l'hostilité éprouvée par les paysans de la Dordogne à l'égard de la noblesse; hostilité née de contacts, d'expérience quotidienne, de susceptibilité blessée, nourrie par la rancœur qui s'accumule sous la déférence rusée, car le temps n'est pas encore venu de l'ironie affichée [21]. Hostilité qui résulte peut-être plus encore de la saisie d'une image décrétée par la bourgeoisie, puis assumée, de souvenirs sans cesse réinterprétés et réaménagés dans le processus même de leur transmission, de mythes entretenus par la parole, de la croyance anxieuse en des complots fantasmatiques.

L'essentiel pour l'historien réside bien ici dans la genèse, le contenu et le fonctionnement de la rumeur, à propos de laquelle nous ne disposons hélas! d'aucune étude systématique [22]. Son repérage se révèle indispensable à qui veut discerner la logique des comportements populaires. La rumeur raconte les tensions sociales qui divisent la population qui la colporte. Mieux que tout autre mode de circulation de l'information, elle énonce le désir et l'angoisse; « elle laisse apparaître et exaspérer des émotions refoulées [23] ». Il convient donc de ne pas s'en tenir à son contenu; il faut la considérer aussi comme un acte qui procure le plaisir trouble de dire et de savoir. « A travers elle, c'est une consommation de relations sociales qui s'opère, ce sont des liens [...] qui se renforcent [24]. » Entre la charge émotionnelle d'une rumeur qui ne cesse d'énoncer l'imaginaire social du groupe qui s'en repaît et les gestes du massacre de Hautefaye, il n'est pas de solution de continuité.

Quand ils parlent entre eux des « Messieurs », des « Habits », les paysans de la Dordogne réinterprètent les discours venus d'en haut selon des formes spécifiques de sociabilité et d'échange de parole, selon leur propre rhétorique de la peur et de la haine, sous l'aiguillon du désir autonome de liberté et d'égalité qui tenaille la communauté.

Il existe à l'évidence une spécificité régionale des figures de l'hostilité. En Périgord, celle-ci se focalise sur les signes de la supériorité et de la distinction. Elle vise plus les emblèmes et les prétentions que les personnes et que les biens. Cela, dès la Révolution. En 1789 et 1790, lors des attaques de châteaux, quand il est devenu manifeste que l'ancienne solidarité entre la noblesse et le peuple s'est défaite et que la haine désormais l'emporte [25], ce sont les emblèmes de la féodalité qui sont avant tout visés par les ruraux du Périgord.

L'absence d'étude sur les Cent Jours dans la Dordogne se révèle, à ce propos, fort regrettable; elle prive de la connaissance d'un relais dans le processus de transmission du souvenir et des comportements. Nous savons qu'en certaines régions du Midi, la « révolution de 1815 » [26], notamment la période confuse qui suivit Waterloo, a laissé de profondes traces. Certains indices donnent à penser qu'il en fut de même en Périgord. L'attitude de la noblesse, revenue, avec le roi, dans les fourgons de l'étranger – fait encore mémorable en 1870 – réactualisait les souvenirs de l'armée des Princes et entretenait l'image du complot, de la trahison, de la connivence avec le Prussien et le cosaque. Plus important : c'était alors *contre l'empereur* que cette coalition s'était nouée. « Nos paysans, note le juge de paix du canton de Thiviers en juillet 1851, détestent ce qu'ils appellent les nobles [27]. » A leurs yeux, « c'est la caste qui fut proscrite sous la Ire République, signalée comme complice de l'invasion étrangère en 1814, *ennemie de l'empereur en 1815,* comme travaillant à reconstruire l'Ancien Régime sous les gouvernements royaux [28]. » Les événements de juillet 1870, générateurs du drame de Hautefaye, pourront apparaître comme la réitération de 1815, bien que l'épisode des Cent Jours ne soit pas alors explicitement désigné [29].

La Révolution de 1830 autorise le défoulement de la haine. Celui-ci se déploie jusqu'au mois de décembre, cependant que dans les campagnes se libère la liesse. Nous n'avons plus à craindre « le retour des dîmes et des rentes et de tous les droits que nos pères ont abolis [30] », déclare joyeusement, en patois, le maire de Marsac dans le discours qu'il adresse à ses administrés. A nouveau, on s'en prend aux châteaux. L'incident le plus sérieux se déroule à Pazayac où le maire tarde à hisser le drapeau tricolore.

Le jour de la frairie, une troupe de paysans, pour la plupart venus de la Corrèze proche, attaque en début d'après-midi la demeure du comte de Manssac, honni pour sa morgue. En l'absence du propriétaire, malgré l'opposition des autorités et des petits-bourgeois de la localité, le verger est dévasté, le château envahi et mis à sac. Le linge, la graisse, le lard, les pots de confits, l'eau-de-vie sont emportés. Les émeutiers déplorent l'absence des Manssac qu'ils auraient, disent-ils, *« étripés »,* s'ils avaient pu les saisir [31].

La chute de la monarchie de Juillet suscite la reprise de cette violence verbale à l'encontre des nobles. Dans la Dordogne, comme dans la Basse-Marche proche [32], les rumeurs vont bon train. On raconte un peu partout « que les châteaux *sont pillés* dans la région de Mareuil, mais les versions différentes prouvent l'inanité des faits [33] ». Des placards incendiaires sont apposés. Une colonne de deux cents paysans marche sur la Durantie, le domaine de Bugeaud. Mais le maréchal, qui s'est rallié à la République, organise la défense de ses biens, avec l'aide de ses amis et de ses métayers; les assaillants se contentent de crier, puis ils se dispersent. Le dimanche suivant, de peur que celui qu'ils appellent « le père », le « bienfaiteur », n'ait été mal impressionné, les habitants de la commune de Lanouaille lui offrent un banquet populaire et le reconduisent à la Durantie en chantant des hymnes patriotiques. Le maréchal, qui a revêtu une blouse, les remercie en patois. Épisode qui en dit long sur les tactiques de l'emprise et sur la tension qui s'instaure, au sein du peuple des campagnes, entre la haine et la reconnaissance, entre l'hostilité à l'égard du notable et le besoin anxieux de sa médiation.

Au lendemain des émeutes parisiennes de juin, « certains habitants de Pazayac songent à rééditer les troubles de 1830 [34] ». On colporte dans une centaine de communes que les châteaux de la région seront pillés. Le comte de Manssac et plusieurs autres châtelains des environs entreprennent des travaux de défense [35].

Ces incidents mettent en évidence le primat de la rumeur. Ils soulignent le contraste entre l'ampleur des tensions, la vivacité de l'anxiété et la retenue des violences. Le feu couve mais le débridement de la parole suffit à le contenir. Il convient donc d'écouter attentivement ce qui se dit alors, sans s'arrêter au caractère dérisoire de la rhétorique. Cette vigilance permettra de mieux percevoir le sens de ce qui se fera à Hautefaye, le 16 août 1870. Une note de la Direction de la Police générale du ministère de l'Intérieur, datée du 2 août 1838, souligne le contraste qui s'impose aux yeux de l'observateur entre l'inanité des propos et l'ampleur de leur diffusion. Dans la Dordogne, y lit-on, les bruits les plus « absurdes (sont) *répandus sans relâche et accueillis avec avidité* dans nos villages : tantôt ce sont les riches qui veulent condamner les pauvres à *manger de la paille;* tantôt c'est une défense prochaine à tous ceux qui ne portent point d'habit, de conserver des cornes à leurs bœufs; enfin mille niaiseries du même genre [36] ».

L'image du joug, évocatrice du servage, introduit la métaphore de l'animal que nous retrouverons à plusieurs reprises. En 1849, les paysans de la région de Lalinde sont convaincus que le marquis de Gourgues, candidat modéré à l'Assemblée législative, a, dans son château, plus de cent jougs auxquels il pense atteler des paysans vassalisés afin de leur faire labourer les terres de son domaine [37].

La perception de telles menaces suscite une rhétorique de la violence qui s'amplifie quand fléchit l'autorité, libérant les fantômes de 1793. En juin 1848, à Saint-Cyprien, le curé Picon se trouve en butte à la vindicte populaire. La foule, qui le hue et l'expulse de la commune, s'en prend aussi aux riches, particulièrement aux nobles. Émile Lasserre, dit Pontet, frère du maire, fils d'un médecin commandant de la garde nationale et donc typique représentant de la bourgeoisie rurale, aurait déclaré au club, puis dans plusieurs autres lieux publics : « Nous irons chez les riches, *nous les foulerons aux pieds* [38]. » Enregistrons ce projet; il se réalisera sur le foirail de Hautefaye. Pontet aurait ajouté : « A bas les nobles! A bas les prêtres!... La République ne sera bien assise à Saint-Cyprien que lorsqu'elle aura fait tomber trente têtes. » Au club qu'il préside, il tolère que des *menaces de castration* soient proférées. D'autres individus, nommément désignés par le procureur, crient : « A bas les riches! A bas les nobles! A bas la bande noire! » et réclament la guillotine. Les vieux griefs ressurgissent : les nobles, dit Pierre Lasfilles, « ce sont des brigands qui se sont emparés des biens de la commune ». Édouard Nayrat, non content de proférer des menaces de castration, aurait démoli, à coups de pioche, des édifices appartenant aux Marzac et aux Beaumont. D'autres individus menacent, eux aussi, d'assassiner les nobles.

Le gouvernement impérial ne permet plus de tels débordements verbaux, une telle libération joyeuse de l'imaginaire de l'agression et du sévice. Au dire des administrateurs, qu'il nous faut alors croire sur parole, la haine n'est pas éteinte pour autant. « Même aux jours paisibles du Second Empire, il couvait dans les campagnes périgourdines une sourde rancœur contre la noblesse [39]. »

II – *Les fleurs séditieuses*

Plus vive encore apparaît la haine « des curés » [40]. Nous l'avons vu à la lumière des travaux de Ralph Gibson, la bourgeoisie rurale, pour l'heure foncièrement anticléricale, aime attiser l'hostilité que le paysan nourrit à l'égard du clergé. Elle exagère à dessein la solidité du lien qui unit celui-ci à la noblesse; elle proclame leur désir commun de rétablir l'Ancien Régime.

Or, rien n'est moins évident que cette étroite alliance. On ne détecte pas, dans la Dordogne, de corrélation entre l'extension de la grande propriété nobiliaire et l'intensité de la pratique religieuse. En revanche, les indices abondent de la distension des liens établis entre le clergé et la noblesse. Il est peu d'aristocrates au sein des conseils de fabrique [41]. On relève peu de nobles sur la liste des individus auxquels l'évêché adresse ses mandements de carême. Aucun notable de l'arrondissement de Nontron ne dispose de chapelle domestique. A la différence de celles de l'Ouest, les grandes familles de la Dordogne ne comblent pas l'Église de leurs largesses; celles du canton de Mareuil elles-mêmes donnent assez peu aux établissements religieux. Ajoutons que la noblesse se montre avare de ses enfants : sur mille huit prêtres nés dans le diocèse et qui y ont exercé entre 1830 et 1914, on ne compte que dix-neuf aristocrates [42]. On ne relève aucune ordination de noble entre 1839 et 1872. L'année suivante, celle de Gaston de Monéys, le frère de la victime de Hautefaye, vient clore cette longue stérilité.

Dans son ensemble, le Nontronnais n'est pas une région fervente. En cela, il s'apparente au Limousin tout proche, qu'il évoque par bien des traits. En 1835, à l'occasion d'une enquête épiscopale, 51 % des curés et des desservants de cette petite région soulignent l'emprise des « superstitions » dans leur paroisse [43]. Hautefaye illustre la tiédeur environnante : 5 % des hommes seulement, en 1855, et 2 % en 1863 accomplissent leur devoir pascal. Les « pascalisantes », majoritaires en 1855, ne sont plus que soixante-dix, soit 26 %, en 1863 [44]. A cette date, au total, 14 % des individus en âge de le faire communient durant le temps pascal.

Cela dit, l'évolution de la ferveur, ici comme ailleurs,

n'a rien de linéaire. Au lendemain de la révolution de juillet 1830, il semble que la pratique se soit affaissée; à moins que l'image fallacieuse d'une Restauration perçue à tort par le clergé comme un idyllique âge d'or n'ait faussé les appréciations. Quoi qu'il en soit, entre les deux enquêtes approfondies réalisées par l'évêché en 1841 et en 1875, une reconquête religieuse s'effectue. La ferveur progresse, même dans le Nontronnais, sinon à Hautefaye qui, nous venons de le voir, reste à l'écart de cette reconquête.

L'essentiel pour nous n'est pas la tiédeur mais l'anticléricalisme « endogène » de ces populations rurales que nous verrons à l'œuvre au cours du drame du 16 août 1870. Les historiens ont trop souvent décrit et analysé, à propos d'autres régions, les manifestations de cette hostilité pour qu'il soit utile de s'y attarder [45]. Le rigorisme grondeur des prêtres hostiles à la danse et au cabaret, opposés à toute laïcisation des activités festives, l'ingérence du curé dans les affaires communales, le tarif jugé excessif des cérémonies attisent la colère des ruraux. Plus mal reçu encore se révèle le refus de sépulture religieuse. Un exemple tardif : un jour de mai 1865, le curé de Saint-Julien-de-Lampon déclare qu'il ne bénira pas le corps d'un suicidé. Les fidèles se réunissent devant l'église où l'on a fait porter le cercueil. En l'absence du curé, un cortège se forme, précédé d'une croix voilée d'un drap noir. Deux chantres entonnent le *Miserere* et plusieurs individus ont le cierge à la main. La foule n'accepte finalement de cesser de chanter que pour obéir aux injonctions du maire et de l'adjoint. L'affaire, selon le sous-préfet de Sarlat, « a laissé la plus fâcheuse impression et excité le plus grand mécontentement parmi les habitants de la commune [46] ». Comme dans bien d'autres régions, des curés se voient, à l'occasion, menacés d'« assouade » ou subissent des charivaris; mais là n'est pas le plus caractéristique du comportement régional. L'essentiel est bien que l'anticléricalisme des paysans périgourdins se focalise sur ce qui atteste le lien entre le clergé et la noblesse, sur ce qui suggère le complot commun, la connivence en vue de restaurer les distinctions et les privilèges de l'Ancien Régime.

Trois enjeux cristallisent la revendication : l'enlèvement des bancs dans les églises, la gratuité des sonneries de cloches et le libre accès des fidèles à l'intérieur du sanctuaire [47]. En 1790 déjà, on avait brûlé les bancs en Périgord. D'un commun accord, nobles et curés les avaient rétablis. Cette restauration heurte les communautés villageoises. En 1838, pour toutes ces raisons, la colère explose. Les troubles débutent le 3 juin, à Saint-Agnan d'Hautefort; ce jour-là, « un grand tumulte (éclate) dans l'église au moment de la célébration de la messe, la balustrade est brisée, les bancs (sont) mis en pièces » et l'on sonne le tocsin. Le conseil de fabrique décide que « désormais les prêtres et les chantres seraient seuls admis dans le sanctuaire de l'église et que l'on ne sonnerait plus les cloches pour les baptêmes et les enterrements sans qu'il fût payé une rétribution [48] ». Le 7 juin, le maire et les agents de la force publique qui veulent faire respecter ces décisions sont molestés. L'arrestation des trublions suscite le rassemblement d'une foule hostile. Menacé de mort, le maire se voit obligé de signer la libération des prisonniers. Le préfet, le juge d'instruction, le procureur du roi, le général se rendent à Saint-Agnan; mais des émissaires ont prévenu de leur arrivée. Le toscin sonne de nouveau. Une foule considérable armée de bâtons, de fourches et de fusils accourt des villages voisins. Pour l'heure, l'affaire en reste là.

Mais la fermentation se propage dans la région [49]. Des émissaires sont dépêchés dans la Haute-Vienne et dans la Corrèze afin d'appeler à la résistance. Les troubles concernent aussi le Nontronnais. Le 22 juin au soir, des individus s'introduisent dans l'église de Dussac afin de carillonner, comme on a coutume de le faire à la Saint-Jean [50]. Le 27 juin, on sonne le tocsin à Saint-Mesmin et les bancs de l'église sont brûlés. Il en est de même à Lanouaille et à Dussac. A Sarlande, le 29 juin, un individu transporte sur la place publique les seize chaises qui se trouvent à l'intérieur de l'église [51].

Le 14 juillet au soir, de nouveaux troubles éclatent à Dussac. Ils imposent la venue du procureur. Un groupe de quarante individus, armés de faux, de volants, de bâtons, de fusils, occupe le bourg entre cinq et treize heures; jusqu'à ce que le maire signe la libération de deux trublions arrêtés la veille [52].

Ailleurs, c'est l'itinéraire des processions qui suscite le mécontentement; mais « dans toutes ces circonstances, note le procureur, les gens riches et particulièrement les nobles, les possesseurs de châteaux ont été l'objet de propos menaçants [53] ». Il arrive qu'à cette occasion, maires et adjoints pactisent avec les émeutiers.

Il faut dire que l'enjeu est souvent perçu comme primordial. Les propriétaires alarmés attachent une grande importance à l'enlèvement des bancs et des chaises hors de l'enceinte des églises; ils y voient le signe avant-coureur d'une « nouvelle jacquerie » [54]. L'évêché, pour sa part, aimerait régler le différend et supprimer les bancs, mais il lui faut céder devant l'amour-propre familial des aristocrates. Quant à la justice, elle fait preuve, comme presque toujours en pareil cas, d'une grande indulgence. Le tribunal de Périgueux acquitte les quatre prévenus de Saint-Agnan. Celui d'Angoulême qui réforme la sentence se contente de prononcer une condamnation de deux à six jours de prison. Soulignons cette tradition de mansuétude, elle contribue à expliquer le désarroi des individus condamnés pour le massacre d'Alain de Monéys.

En 1848, le peuple des campagnes s'en prend une nouvelle fois aux bancs installés dans les églises; dans certaines paroisses, ceux-ci sont brûlés. Le 8 mars, la commune de Sourzac s'agite ; le curé et le conseil de fabrique sont menacés. La foule impose la réduction du tarif des chaises et la fin des distinctions entre les enterrements [55].

La violence verbale qui se déchaîne à l'occasion de ces troubles indique la profondeur de l'hostilité. On se souvient des incidents dont est victime le malheureux Picon, curé de Saint-Cyprien, en juin 1848. On le menace d'une « assouade » et de « sévices infâmes », avant de l'expulser de la commune. Tandis qu'on parle de fouler et de guillotiner les riches, Émile Lasserre, dit Pontet, déclare : « Si Picon revenait, je baignerais mes mains dans son sang [56]. » Abel Jardel menace, lui aussi, de tuer le malheureux. Charles Fournier, dit la France, « aurait voulu *couper le curé en morceaux* ». Antoinette Passegand, épouse Magimel, dite Terreyrote et Suzon Selves, dite Teillette, projettent de « mutiler le curé Picon ». Lorsque, le 12 décembre, les autorités réinstallent le prêtre honni, un barrage de femmes et d'enfants, les tabliers chargés de pierres, leur interdit l'entrée du presbytère ; les hommes, dans le même temps, entourent les gendarmes d'un cercle menaçant. Il faut l'intervention de la troupe pour que les manifestants se dispersent.

On aura remarqué la réitération de la menace de castration de la part de cette population d'éleveurs, ainsi que l'évocation de la découpe du corps. Gardons-les en mémoire ; tout en sachant qu'il ne s'agit pas de métaphores. Le 24 janvier 1870, six mois avant le massacre d'Alain de Monéys, le préfet écrit au ministre de l'Intérieur [57] : « Trois jeunes enfants, fréquentant l'école publique à Tourtoirac – située à une cinquantaine de kilomètres de Hautefaye – ont été accusés d'avoir essayé de châtrer un de leurs camarades plus jeune, du nom de Chavoix », et donc homonyme du candidat républicain de la circonscription, fort mal vu des parents. L'enquête menée par l'inspecteur des écoles « a non seulement établi d'une manière certaine la culpabilité des jeunes gens [...], mais encore a amené la révélation d'un autre fait analogue : un jeune enfant du même âge et de la même école que Chavoix aurait tenté de se châtrer lui-même »; et le préfet conclut : « Il paraîtrait que ces faits, *si étranges qu'ils paraissent,* ne sont pas sans précédents dans le canton d'Hautefort. » Moins de trois mois plus tard, dans la même commune de Tourtoirac, « une petite fille aurait été violée par un élève-moniteur, de l'école des garçons, assisté de deux camarades qui tenaient les bras de la victime [58] ». On notera que peu de temps avant le supplice d'Alain de Monéys, la banalité des conduites de cruauté dans le traitement juvénile des corps suscite, chez l'observateur bourgeois, un vif sentiment d'étrangeté.

Sous le Second Empire, l'anticléricalisme turbulent se trouve, lui aussi, contraint de s'assagir : l'indéniable reconquête des âmes par le clergé, le strict maintien de l'ordre assuré par les autorités refoulent jusqu'en 1868 les manifestations violentes de l'hostilité; laquelle, il est vrai, ressurgit sous d'autres formes. Depuis qu'elles sont engagées franchement dans la voie des réalisations édilitaires, les municipalités rurales voient grandir leur jalousie à l'égard du presbytère; les dépenses d'entretien des édifices cultuels entrent clairement en concurrence avec les entreprises de modernisation du terroir communal; un peu partout, à Hautefaye notamment, les menus avantages matériels du curé sont contestés.

Les digues opposées à la violence, la contention exigée ne font pas taire la rumeur, seul mode désormais possible d'expression de l'anticléricalisme. Les paroles vont bon train qui dénoncent le *complot* fomenté par les nobles et par les « curés » afin de renverser l'empereur. Quand la tension se fait trop vive, quand la rumeur se concentre et trouve à s'étayer sur des faits précis, la mobilisation s'opère pour défendre le souverain en butte à des formes de menaces qui, une fois de plus, paraissent étranges aux administrateurs.

Le 21 août 1862, quatre incendies simultanés détruisent trois granges et plusieurs meules de foin dans les communes de Saint-Martial, du Pizou et de Minzac [59]. Les paysans sont fort irrités contre « les voyageurs à mine suspecte ». L'extension des incendies durant les jours qui suivent déclenche la panique dans la région. Les habitants forment une milice afin de surveiller les incendiaires. A la fin du mois, à Servanches, à Saint-Barthélemy, à Échourgnac, les paysans « sont frappés d'épouvante » [60]; ils sont désormais convaincus qu'il s'agit d'incendies criminels allumés par des grenades fulminantes. La rumeur se condense. « Il est fréquemment parlé d'*une voiture de luxe* qui circulerait mystérieusement, la nuit et sans lanterne, pour, dit-on, porter des aliments et des engins de destruction aux incendiaires. » Le coupable est désigné : c'est le « parti clérical qui aurait projeté d'exaspérer les populations des campagnes, de les disposer au fanatisme en les frappant dans leurs intérêts matériels pour faire croire à un châtiment du ciel provoqué par la résistance qu'éprouve le pape ». D'autres individus, moins nombreux, incriminent « les sociétés secrètes ». Blancs et rouges se côtoient dans cet imaginaire de la menace et de la détestation.

En 1868, l'agitation revêt une tout autre ampleur. Le *fantôme de la dîme* hante l'esprit des paysans et les conduit à l'émeute à l'intérieur d'un vaste périmètre qui englobe les Charentes, la Dordogne et une partie de la Gironde [61]. Le nouvel évêque de La Rochelle, Mgr Thomas, bien que libéral, tient à faire étalage d'un grand écusson sur lequel ses armes sont représentées. Les paysans s'effraient de voir des *épis de blé et des marguerites* figurer sur ce qu'ils appellent les « tableaux » que les sacristains accrochent au-dessus du portail des églises ou qu'ils placent, en évidence, à l'intérieur des sanctuaires. Les fidèles y voient, tout à la fois, le signal du renversement du régime impérial et la preuve de l'imminence du rétablissement de la dîme.

Cette découverte vient amplifier un mouvement déclenché quelque temps auparavant. Dès le mois d'avril en effet, des « manifestations tumultueuses » avaient pour but de « faire disparaître *des fleurs* servant à orner les autels dans les églises, les fleurs de lys notamment considérées comme des emblèmes séditieux [62] ». A Cercoux, le 18 avril, un dimanche, une foule de six cents personnes décide de se rendre à l'église afin d'éliminer tous les bouquets suspects. Malgré les exhortations du maire, plusieurs individus s'introduisent dans le sanctuaire et, sous les applaudissements des spectateurs, ils en retirent les végétaux incriminés. « Allons à la cure », crie l'un d'eux en agitant une corde; et si « le curé ne veut pas venir nous livrer toutes les fleurs qu'il a dans son église, *nous l'attacherons* ». La foule le suit. Le desservant est amené de force. Malgré les injonctions du maire, les fidèles envahissent l'église. Un brigadier de Montguyon qui tente de s'interposer est assailli. « Tuons-le, écharpons-le, le gredin, enlevez-le, *assommez-le,* à bas la dîme! – *Levons-lui la peau* », clament deux des meneurs [63].

Devant la menace de dépeçage et les défis qui lui sont lancés, le brigadier, désireux de sauver sa vie, a recours au refuge ordinaire en pareil cas; il réussit à pénétrer dans l'auberge – ce que tentera sans succès Alain de Monéys, à Hautefaye, deux ans plus tard. Le tenancier le fait monter dans une chambre haute, afin de lui permettre d'échapper à la foule. Celle-ci assiège l'établissement pendant plus de trois heures, hurlant ses menaces, avant de se disperser, la nuit tombée. Au dire des magistrats, les émeutiers les plus exaltés sont tous de bons pères de famille, installés depuis longtemps dans la paroisse; leur conduite était jusqu'alors irréprochable. C'est « au cri de *Vive l'Empereur!*

que se sont réunis [64] » ces hommes dont on souligne le dévouement à Napoléon III.

A la fin du printemps, l'agitation gagne l'ensemble de l'arrondissement de Jonzac. Partout les paysans poussent les mêmes vivats et s'en prennent aux coupables bouquets. *Armés de bâtons* – comme plus tard ceux de Hautefaye – ils se massent sur le passage de l'évêque de La Rochelle. Tantôt ils abattent son écusson, tantôt ils envahissent les églises pour en arracher « le tableau ». Dans plus de quarante sanctuaires, la foule s'en prend au mobilier, aux vitraux, aux ornements [65]. L'effervescence gagne ensuite la Gironde, notamment les environs de Blaye; elle atteint la commune de Donnezac, le 25 mai, à l'occasion de l'Adoration perpétuelle [66]; puis elle pénètre dans la Dordogne, pour venir s'éteindre en Charente, dans l'arrondissement de Cognac [67].

Quelque temps plus tard, les habitants de Sigogne (Charente), dégrisés, pétitionnent pour réclamer la grâce des inculpés, dont ils soulignent l'attachement au souverain et *à la dynastie*. Ils arguent de « leur égarement momentané et pour ainsi dire épidémique [68] », de l'intensité de la rumeur et de leur désir sincère – que nul ne met en doute – de servir Napoléon III. Le préfet de la Charente et, plus vivement encore, le baron Eschassériaux, membre du Corps législatif et personnalité la plus influente du département, conseillent de gracier les inculpés à l'occasion de la fête de l'empereur (15 août). La sévérité compromettrait, selon eux, le succès des candidats officiels aux prochaines élections. Les habitants de Sigogne qui ont été reconnus coupables seront libérés ou verront leur peine, déjà légère, réduite de moitié. La mansuétude dont la justice fait preuve à l'égard de la paysannerie, fidèle soutien de Napoléon III, n'est pas nouvelle. Elle explique, il faut le répéter, le désarroi des accusés de Hautefaye, deux ans plus tard.

On a déjà remarqué les similitudes qui unissent ces troubles et le drame du 16 août 1870. Il convient en effet de souligner, en cette affaire de fleurs et d'écusson, le caractère fantasmatique de la menace, le cheminement foudroyant de la rumeur, la certitude de l'existence d'un complot, le souci de décrypter le signe qui doit inaugurer son exécution, l'impuissance des autorités municipales devant la résolution de la foule. Dans l'esprit des paysans de la région, défense de la dynastie et défense de soi se confondent. L'une et l'autre impliquent vigilance et perspicacité. Pourquoi, dès lors, craindre la répression? Pourquoi hésiter à utiliser la violence?

Beaucoup moins riche d'enseignements se révèle pour nous l'anticléricalisme citadin qui, en Dordogne comme dans le Tarn proche, agite les esprits à l'extrême fin du Second Empire [69]. Il concerne surtout la bourgeoisie républicaine; composée de membres des professions libérales et commerciales, celle-ci n'exerce, pour l'heure, guère d'emprise sur la paysannerie. Cet anticléricalisme extérieur à la société rurale, que Ralph Gibson qualifie pour cette raison d'exogène, repose sur un athéisme raisonné, revendique la libre pensée, entreprend de lutter contre l'obscurantisme et contre l'influence du prêtre sur la femme; il profite du discours arrogant de l'évêque de Périgueux. Autant de traits qui le distinguent de la détestation viscérale qui tenaille une paysannerie hantée par les images d'Ancien Régime.

Quoi qu'il en soit, la virulence de cette hostilité déclarée n'a pu qu'attiser la haine, d'autant que cette bourgeoisie républicaine et anticléricale, favorisée par les libertés nouvelles, entreprend alors une habile propagande en direction de la paysannerie. Espérant, sans doute, que ce petit ouvrage ne pourrait qu'accroître son prestige dans les campagnes, le leader de la nouvelle génération radicale de la Dordogne, l'avocat Louis Mie, diffuse en 1869 une brochure intitulée *Théories et petits négoces de Monsieur le curé* [70]. Dans cet opuscule, il s'en prend au desservant de Saint-Martial-de-Valette, paroisse de la châtaigneraie du Nontronnais. Il y dénonce les bénéfices illicites du prêtre. Celui-ci s'arroge le monopole de la vente des cierges dont il « cote lucrativement le prix ». Louis Mie s'indigne du funèbre commerce auquel se livre en outre le curé, qui pratique la vente des « tombes en vieux »; il impose aux familles des décédés de fraîche date d'acheter les pierres tombales désaffectées. En juillet 1869, les anticléricaux de Périgueux se scandalisent haut et fort de l'acquittement d'un curé de campagne accusé d'homicide sur la personne de sa domestique [71]. Ensemble d'arguments, pour l'heure, sans doute plus efficaces auprès des paysans de la Dordogne que le projet de séparation de l'Église et de l'État.

III – *Les voleurs de caisses publiques*

Que les habitants des campagnes du Périgord se soient représenté le noble et le curé comme des individus menaçants n'aura pas surpris le lecteur. Après le 4 septembre 1870, les hommes au pouvoir – républicains cette fois – tenteront encore d'exacerber cette hostilité ancienne [72]; mais l'empereur ne sera plus là pour figurer l'autre victime du complot. Bien mieux, les bonapartistes de la IIIe République se feront alors les alliés des nobles et des curés, comme naguère, sous l'Empire, l'avaient été les républicains, à l'occasion et par tactique, dans le cadre de l'*Union libérale*. Cette mutation de la composition des blocs antagonistes tels que les perçoit le paysan, ce renversement partiel des alliances risquent d'être aveuglants. Il faut soigneusement éviter de projeter sous le Second Empire la modification du système de représentations opéré durant les années 1870; faute de quoi, on ne comprendrait rien au comportement des paysans de la Dordogne, notamment aux acteurs du supplice de Hautefaye. Ceux-ci, en effet, associent dans la perception d'une menace commune qui pèse sur l'empereur et sur eux, le noble, le curé, et le républicain.

A première vue, cela ne va pas sans surprendre. Bien qu'il ne soit pas dans notre propos de le faire longuement, force est de souligner l'intensité du sentiment démocratique, solidement ancré sur la claire perception des antagonismes sociaux, tel qu'il se révèle, à chaque turbulence, depuis la chute du Premier Empire. Par quel cheminement logique la haine des riches, évidente au fil des décennies, a-t-elle pu se faire la compagne de celle des républicains? Énigme que les historiens n'ont pas résolue, et que seule une écoute naïve du discours tenu par la rumeur peut permettre d'élucider.

Cette haine des riches, nous l'avons déjà rencontrée. Elle est omniprésente dans les campagnes de la Dordogne entre 1815 et 1870. L'année 1830 notamment révèle l'intensité de l'antagonisme et la profondeur du sentiment démocratique. Du mois d'août au mois de décembre, dans la quasi-totalité des communes rurales, on pavoise, on sonne les cloches à la volée, on brûle, on fusille le drapeau blanc ou le buste de Charles X, on tire des salves d'artillerie ou de mousqueterie, on plante des arbres de la liberté, on danse et l'on banquette, on chante des hymnes à la liberté, associés à de vieux airs du terroir [73]. Comme la garde nationale bourgeoise de la petite ville de Domme avait planté, le 10 septembre, place de la halle, un mai en l'honneur du nouveau régime, l'avocat Vielmon, leader démocrate, fait élever deux jours plus tard, en présence de cinq cents de ses partisans, un peuplier baptisé « mai des pauvres ». D'une hauteur de trente-trois mètres, il domine le clocher de l'église. Le nouvel emblème, surmonté d'un coq dressé sur ses ergots et du drapeau tricolore, porte l'inscription : « Vive Louis-Philippe! Liberté. Ordre public. » L'inauguration se déroule dans la soirée; on danse, on farandole, on crie : « Vivent les pauvres! A bas les riches! » On chante des airs militaires napoléoniens.

1848 fournit l'occasion de réitérer de telles manifestations; et les paysans de la Dordogne, comme ceux du Limousin, votent massivement en faveur des démocrates-socialistes, le 13 mai 1849. Comment donc s'est insinuée la détestation du républicain? Tentons de repérer les composantes de ce sentiment et d'établir la chronologie de son ascension.

Pour ce faire, revenons au souvenir de la Révolution; en effet, le travail qui s'opère sur les représentations du passé et l'imaginaire social que celles-ci induisent éclairent l'inertie des attitudes et la réitération des conflits, dans l'incessant réaménagement de leurs procédures [74]. Or, tous les spécialistes de l'histoire de la région ont souligné la précocité et l'intensité de la Grande Peur dans ce Centre Sud-Ouest [75]; et, plus encore, la profondeur de la trace qu'elle a laissée. Dans la Dordogne, écrit le curé de Villars, « vers 1860 encore, un vieillard à qui on demanderait son âge, répondrait volontiers qu'il avait tel ou tel âge, *le jour de la Peur* [76] »; souvenir beaucoup plus agissant que la crainte des « partageux » et de cette loi agraire que l'on met un peu vite en avant. L'essentiel est ici que l'évocation de la Révolution convoque le souvenir vague de troubles et de brigands venus d'ailleurs. Chaque crise grave fait renaître l'angoisse [77]. Cette récurrence des mécanismes de psychologie collective constitue sans doute, en Périgord, la manifestation la plus évidente et la plus intéressante du souvenir agissant de la Révolution en milieu paysan.

L'insurrection parisienne de juin 1848 suscite, dans la région, des scènes de panique. Le 20 juillet [78], dans les communes qui entourent Thiviers, on tient pour imminente l'arrivée d'insurgés de la capitale et la reprise des troubles. On craint, dans le même mouvement d'anxiété, les vagabonds, les « brigands », les incendiaires. « Le 22 juillet sera, dit-on, inquiété par l'invasion de *bandits* » qui, venus de la Dordogne et de la Charente, se donneront rendez-vous à la foire des Graulges. « Les gendarmes et le maire de Mareuil réclament du renfort pour rester maîtres des événements [79]. » Arrêtons-nous un instant et considérons les lieux. La petite commune des Graulges, comme celle de Hautefaye distante de 10 kilomètres, se situe à la frontière de deux départements; elle possède un foirail sur lequel la foule paysanne peut se rassembler, en rase campagne, à l'abri des autorités urbaines. Ces caractères dessinent, en l'occurrence, la figure du lieu dangereux dans l'imaginaire des citadins.

Dans trois communes, Saint-Estèphe, Teyjat et Le Bourdeix, toutes situées en Nontronnais, c'est la panique : « Mille à quinze cents hommes armés, assemblés au signal de *la générale,* battent les bois pour s'opposer à l'invasion des brigands signalés par une subite rumeur [80]. » A l'origine de celle-ci : la plaisanterie d'un paysan désireux d'effrayer les enfants; l'important reste l'intense écho de sa désinvolture. La population des petites villes, pour sa part, craint, non sans raison, l'incursion des paysans que l'on sait agités par l'impôt des quarante-cinq centimes. Les temporalités se brouillent, les antagonismes présents confortent la résurgence des représentations anciennes et des anxiétés d'autrefois.

L'année suivante, au lendemain de l'affaire du 13 juin [81], la « Peur » saisit à nouveau les esprits. A l'annonce des événements de la capitale, le Nontronnais s'agite et devient, une fois encore, le théâtre de la panique. On aura remarqué que cette région frontalière se caractérise par une sensibilité particulière à la rumeur angoissante. Cette fois, les mécanismes de la Grande Peur s'estompent, tandis que grandit la conscience des antagonismes sociaux, résultat, sans doute, de l'action menée par les démocrates-socialistes. On dit que Ledru-Rollin a beaucoup d'amis dans la région; ce qui inquiète les hommes d'ordre. Dans les villes, on craint de nouveau l'irruption des paysans en armes. On sait que ceux-ci ont, le mois précédent, massivement voté pour les « rouges ». On colporte que les émeutiers ont fixé comme point de ralliement le bourg de Corgnac [82]. Depuis l'année précédente, les citadins ont en effet appris à redouter la violence des campagnes. Ce sentiment ressurgira vingt et un ans plus tard, à l'annonce du massacre de Hautefaye. Les hommes d'ordre qui résident à la ville analysent mal, pour l'heure, les sentiments des ruraux. Si les paysans s'agitent depuis quelques mois, c'est pour lutter contre l'impôt des quarante-cinq centimes, non pour défendre par les armes les amis de Ledru-Rollin [83].

L'essentiel en effet, pour qui veut pénétrer la genèse des sentiments antirépublicains au sein de la paysannerie, relève ici de l'hostilité au fisc. Le fait est bien connu : l'impôt des quarante-cinq centimes a déçu les ruraux et brisé l'élan favorable à la jeune république, trop vite assimilée par eux à la libération de toutes les contraintes. Il est toutefois nécessaire de s'attarder sur cet épisode déterminant, qui plonge ses racines dans la lointaine tradition de la remise de l'impôt et dans l'espoir séculaire qu'elle suscite [84]. Il convient, à ce propos, de se tenir à l'affût des représentations des circuits de l'argent, telles que les révèle l'écoute de la rumeur.

Dans les campagnes de la Dordogne, au printemps 1848, la crise économique, relancée par les bouleversements politiques, fait germer des craintes qui se coulent dans le moule des douloureux souvenirs de la Révolution. Les billets émis par les banques et par les comptoirs d'escompte ressuscitent le spectre de la dévalorisation du papier-monnaie. Les paysans refusent d'accepter des acheteurs ce qu'ils appellent « les assignats de la nouvelle

République ». A la foire de Nontron, les vendeurs consentent des rabais aux clients qui s'acquittent en numéraire.

Surtout, dès les premiers jours du mois de mars, *renaît l'agitation antifiscale.* En 1814 déjà [85], puis en 1830, au lendemain de la révolution de Juillet, les paysans s'en étaient pris aux percepteurs. On colportait alors dans les campagnes que l'*impôt pouvait être refusé,* d'autant que le nouveau régime apparaissait fort peu solide; à trop vite payer, le risque était grand, disait-on, de perdre son argent. Selon la rumeur, Charles X n'était pas sorti de France ou bien il allait revenir avec les baïonnettes étrangères [86].

On refusait notamment aux « rats de cave » l'impôt sur les boissons, un temps suspendu. Le 8 août 1830, les employés des contributions indirectes de Verteillac, tombés à Saint-Victor en pleine fête patronale, avaient été assaillis par une foule de plus de trois cents personnes armées de bâtons. Les malheureux avaient été *promenés dans le bourg* aux cris de : « Plus de rats de cave! *Il faut les tuer!* » Conduits au cabaret, les agents du fisc avaient été *contraints de trinquer* avec les émeutiers. La foule, avant de les libérer, leur avait imposé une taxe de six, puis de douze francs [87]. On l'aura remarqué, le cri : « Il faut le (les) tuer! », qui retentira à Hautefaye, des heures durant, le 16 août 1870, résonnait fréquemment dans ces campagnes; mais jamais jusqu'à cette date il n'avait été mis à exécution par les paysans, si ce n'est à l'occasion de bagarres villageoises. D'autres incidents s'étaient produits, durant l'été et l'automne 1830, à Montagrier, à Montpon, où la foule avait brûlé les registres fiscaux, et plus tard à Mussidan, à Neuvic. Dans le Nontronnais, on parlait alors du déclenchement d'une véritable insurrection.

Mais revenons au récit des événements de 1848. Dès les premiers jours du nouveau régime, nombre de paysans refusent de payer l'impôt. Verser de l'argent supplémentaire leur paraît contraire à l'image de liberté qu'ils se font de la république. Les percepteurs sont menacés. Dans les placards séditieux, on les associe aux nobles et aux curés qui entendent maintenir la présence des bancs à l'intérieur des églises. Le 7 et le 8 mars, nous l'avons vu, le curé de Sourzac et son conseil paroissial acceptent, sous la menace, de réduire le tarif des chaises et d'abolir toute distinction entre les cérémonies d'enterrement. *Dans le même temps,* les répartiteurs sont sommés de diminuer les impôts et de supprimer les patentes. Ils subissent, eux aussi, injures et menaces [88].

Dès le début du mois de mars, des troubles éclatent ici et là. A Payzac, les contribuables protestent contre la rentrée anticipée du produit de l'impôt. Le commandant de la garde nationale réclame, en outre, le rôle des prestations, afin de le brûler. Le percepteur qui refuse de livrer le document est chassé à coups de pierres. La troupe et la gendarmerie doivent intervenir pour rétablir l'ordre.

Alors commence la longue alternance de l'espoir et de la déception. Pour l'instant, les paysans ne décolèrent pas. A les entendre, la levée des quarante-cinq centimes les dépouille de leurs économies. A Lanouaille, nous l'avons vu, les émeutiers marchent sur la Durantie. Ils espèrent se saisir des trente-cinq millions que, selon la rumeur, Bugeaud a dérobés. Il paraît en effet scandaleux que la République ne fasse pas rendre gorge aux profiteurs du régime déchu. A la fin du mois d'avril, on attend avec espoir les décisions de l'Assemblée constituante; les paysans se disent persuadés que les représentants vont s'empresser d'abolir les quarante-cinq centimes. Dans nombre de communes – c'est le cas à Hautefaye – on pétitionne en ce sens. Les maires, par conviction ou par crainte d'être molestés, refusent leur concours aux malheureux agents du fisc.

A la fin du mois de mai, grande déception : l'Assemblée

approuve la levée de l'impôt. Partout, la révolte gronde. Le 4 juin, jour des élections complémentaires, les mutins de Saint-Pierre-de-Chignac dressent une potence [89] à double bras, qu'ils appellent par dérision : *arbre de la liberté.* « Nouguier, dit Baragouin, somme le curé de bénir l'appareil; celui-ci refuse(a) prétextant qu'il s'agit d'un instrument de mort. » Ce retournement de sens du symbole majeur de la république atteste la profondeur de la déception et la précocité du détachement à l'égard du nouveau régime. Les émeutiers ornent cette potence d'un drapeau noir; à chaque branche, ils attachent une corde terminée par un crochet. Une affiche prévient que seront *« enferrés et pendus »* – deux formes de supplice esquissées sur Alain de Monéys, le 16 août 1870 – les payeurs de l'impôt des quarante-cinq centimes, ainsi que tout citoyen qui refuserait d'appréhender et d'exécuter les contribuables trop zélés. C'est ici l'unanimité et la solidarité de la communauté villageoise qui sont en jeu. Ces menaces, habituelles en cas d'émeutes, nous les retrouverons, elles aussi, le jour du drame de Hautefaye.

Le procureur de la République, aidé de la gendarmerie, fait abattre la potence et procéder à quatre arrestations. Les paysans de la région prétextent dès lors de la terreur qui pèse sur eux pour refuser le paiement de l'impôt. Un espace d'illégalisme s'est désormais ouvert dans lequel ils s'engouffrent, s'empressant de revendiquer et de saisir les libertés dont ils rêvent depuis longtemps. Voilà que l'on refuse les prestations de travail; les cabaretiers cessent de payer les droits sur les boissons; on chasse sans contrainte et sans permis. Le 20 août [90], la brigade de gendarmerie de Saint-Mayme tente d'arrêter des braconniers; elle se voit cernée et menacée de coups de bâtons, de pioches et de jets de pierres par une bande de chasseurs que la nouvelle, diffusée à travers champs, a fait se regrouper sur les lieux de l'incident. Il faudra une véritable expédition de la gendarmerie de Bergerac pour que soient arrêtés treize des mutins.

Le 3 septembre, la Constituante approuve définitivement la levée des quarante-cinq centimes. Dès lors, la résistance se durcit. Les percepteurs sont malmenés. Personne n'accepte de participer à la vente des biens saisis; ce qui oblige à l'abandon des poursuites. Il faut faire donner la troupe [91] et la gendarmerie. Rien n'y fait. Dans le nord du département, malgré le zèle des brigades de Mareuil et de Nontron, les contribuables refusent de verser les sommes réclamées. Les maires installent de préférence les soldats chez ceux qui ont payé. Le 2 décembre à la Gonterie-Boulouneix [92], non loin de Hautefaye, plusieurs des paysans auxquels un huissier réclame le paiement de leurs dettes, crient : « Au feu! *Aux brigands!* Aux voleurs! » Les voisins accourent à cet appel qui ressuscite la « Peur ». Ils obligent l'huissier à s'enfuir pour sauver sa peau.

Il faut dire que la candidature de Louis-Napoléon Bonaparte a ranimé l'espoir. Grâce à lui, pense-t-on, il sera possible d'échapper aux quarante-cinq centimes. Des rumeurs circulent : « Bonaparte, répètent les paysans depuis la fin du printemps, va être empereur. Il prendra 400 000 hommes et ira en Angleterre forcer Louis-Philippe à payer cet impôt [93]. » En décembre, un autre bruit court dans les campagnes : « Napoléon est mille fois millionnaire; il paiera en montant à la présidence les dettes de la France et la fameuse taxe des quarante-cinq centimes [94]. » Alors commence de se déployer un bonapartisme tout à la fois populaire et antirépublicain. Avant même que les démocrates-socialistes ne leur empruntent cette tactique, les bonapartistes alimentent l'espoir des paysans en s'inspirant de leurs désirs. Le 10 décembre, jour de l'élection présidentielle, c'est la fête dans tout le Périgord. Les électeurs de Mareuil se rendent joyeusement au scrutin, leur bulletin épinglé au chapeau [95]. Dans le département,

Louis-Napoléon Bonaparte obtient 92 534 suffrages et Cavaignac, 5 259. Le 9 février 1849, les quatre individus inculpés à la suite des troubles de Saint-Pierre-de-Chignac sont acquittés. La mansuétude de la justice à l'égard des émeutiers accentue la confiance et conforte la résistance.

Mais le pouvoir n'entend pas changer de cap. Le 23 janvier, quelques jours après le sac de Gourdon, l'une des sous-préfectures du Lot, département qui jouxte la Dordogne [96], la troupe intervient à Mareuil, à moins de quinze kilomètres de Hautefaye. Durant deux mois, elle parcourt les campages du Nontronnais pour tenter de vaincre les résistances. Elle tend désormais à symboliser la figure de la République dans le nord du département.

Dans cette affaire des quarante-cinq centimes, la Dordogne ne constitue pas le théâtre des événements les plus graves; ceux-ci se déroulent à Ajain [97], dans la Creuse et à Gourdon, dans le Lot. Il faut toutefois se garder de sous-estimer l'importance que le mouvement revêt en Périgord. Dans le Nontronnais tout particulièrement, l'agitation demeure sporadique de mars 1848 à février 1849. La permanence du conflit atteste et approfondit tout à la fois l'hostilité à l'égard de la République.

Au printemps, un nouvel espoir se dessine. Les « rouges » assument les revendications que les paysans soutiennent de toutes leurs forces depuis plus d'un an. En outre, les démocrates-socialistes agitent le spectre du rétablissement de la dîme, des corvées, des droits féodaux et des privilèges. Ils proposent de diminuer, voire de supprimer, les impôts qui pèsent sur le sel, sur les boissons et sur les voitures. Surtout, ils réclament le remboursement des quarante-cinq centimes, grâce à la restitution du milliard des émigrés. L'un des représentants de la Dordogne, Jean-Baptiste Chavoix, a même largement diffusé dans les campagnes une proposition de loi effectuée en ce sens et publiée au *Moniteur* le 13 avril 1849 [98].

Les démocrates-socialistes captent ainsi l'espoir des paysans. Ils réussissent à convaincre nombre de conseillers municipaux de communes rurales. Or, note le procureur général [99], « les paysans se laissent ici entraîner par les maires qu'ils regardent comme des agents du gouvernement ». Les électeurs paysans haïssent la République des modérés qui envoie ses colonnes mobiles. En mai, l'adhésion aux démocrates-socialistes prend l'allure d'un raz de marée. La liste des « rouges » l'emporte de plus de 16 000 voix. A Saint-Félix, les gardes nationaux des communes rurales refusent que le bureau de vote soit gardé par ceux du bourg, qu'ils accusent d'être des riches. Le capitaine est assailli et blessé d'un coup de couteau. Le 18 mai, les paysans s'assemblent armés de bâtons, de fusils ou de fourches afin d'empêcher l'arrestation des meneurs. Les comportements anciens s'intègrent aux nouveaux combats politiques.

Le succès des démocrates-socialistes, le 13 mai 1849, ne contredit donc en rien celui de Louis-Napoléon Bonaparte, le 10 décembre 1848 [100]; en ces deux occurrences, l'électeur des campagnes du Périgord espère les mêmes avantages. S'ils avaient réussi dans leur projet, les montagnards auraient peut-être maintenu sous leur emprise les paysans de la Dordogne; mais ils ont échoué. Malgré les efforts de Chavoix, de Pierre Leroux, de Ledru-Rollin puis de Flocon, l'Assemblée législative se refuse à revenir sur les décisions prises concernant les quarante-cinq centimes. Elle repousse le remboursement, fût-il échelonné [101].

Pire, l'indemnité parlementaire des vingt-cinq francs contribue à déconsidérer les représentants, lesquels désormais sont ici des « rouges ». L'attitude politique des campagnes se détermine en fonction de quelques problèmes simples mais intenses, sur lesquels le paysan focalise toute son attention et concentre toute son énergie. Il faut tenir compte de cette étroitesse du champ des enjeux, née de l'attente impatiente d'avantages immédiats. Entre le bourgeois cultivé et le paysan, ce sont plus ici la conscience des délais [102] et la hiérarchie des visées qui diffèrent que la logique du raisonnement ou que l'intensité des convictions.

Or, la rumeur ressasse la circulation de l'argent. Les « vingt-cinq francs » touchent le paysan, plus sans doute qu'ils ne préoccupent ces ouvriers du faubourg Saint-Antoine qui, le 3 décembre 1851, les reprocheront au député Baudin [103]. Vingt-cinq francs, c'est dix fois le salaire d'un ouvrier agricole en période de moisson; qu'on distribue cette somme à sept cent cinquante représentants suggère au paysan une dépense énorme : de quoi payer plus d'une dizaine de milliers de travailleurs en temps ordinaire. Les frais occasionnés par l'exercice du pouvoir frappent beaucoup l'électeur des campagnes. N'est-il pas plus avantageux, somme toute, de s'en tenir à un unique souverain? Empruntant une métaphore usuelle en leur milieu, les émeutiers d'Ajain répondent à un professeur qui leur demande pourquoi ils préfèrent Louis-Philippe à la République, « qu'il vaut mieux engraisser un cochon que d'en nourrir cinq [104] ».

La dépense paraît d'autant plus intolérable qu'elle se trouve associée au prélèvement de l'impôt exceptionnel. Les quarante-cinq centimes et les vingt-cinq francs sont indissociables dans l'esprit des ruraux. Le 22 mars 1852, au lendemain des élections au Corps législatif, le sous-préfet de Nontron écrit à propos de l'immense succès du candidat du prince-président : « Nos paysans ne demandaient que deux choses avant de se décider pour lui : " Est-il pour Napoléon? Sera-t-il payé? " [105]. » Le sous-préfet voit dans ce dernier souci une manifestation « de la répulsion qu'ils (les paysans) avaient – on notera le passé – souvent manifesté pour les *750, qui recevaient 25 francs par jour pour faire de l'hostilité à Louis-Napoléon* ».

En outre, les paysans savent que le président n'est pas responsable des quarante-cinq centimes; c'est d'ailleurs lui qui, dit-on, a fait diminuer l'impôt sur le sel. Surtout, sa future gestion rassure. Avec lui, répète-t-on dans les campagnes, plus à craindre les assignats et la banqueroute.

En bref, la haine des riches, le sentiment démocratique diffus, le ralliement aux « rouges » en 1849 et le travail accompli par ces derniers n'ont pas suffi à effacer dans l'esprit du paysan du Nontronnais la figure d'une République gaspilleuse au profit de ses dirigeants mais exigeante et répressive à l'égard des travailleurs de la terre.

J'avais naguère remarqué et montré que, parmi les paysans favorables aux démocrates-socialistes en 1849, ceux qui s'étaient le plus vivement dressés contre l'impôt exceptionnel avaient accueilli le coup d'État presque sans broncher [106]. A ce propos, l'attitude est la même en Périgord, en Quercy et en Limousin. Reste que je percevais mal, faute d'écoute attentive, naïve et libre du sens des paroles et des gestes, la logique des comportements. Vingt-cinq ans après, je retrouve les paysans de ma jeunesse – paysans d'archive s'entend – avec plus de lucidité et de proximité, du moins je le crois.

Louis-Napoléon Bonaparte, en rétablissant le suffrage universel [107] et en chassant les 750 bénéficiaires des vingt-cinq francs, qu'ils soient blancs ou rouges, répond aux vœux de la majorité des paysans du Périgord. Les résultats du plébiscite du 20 décembre 1851 indiquent l'ampleur de l'adhésion : 112 784 oui, 5 720 non; en outre, 424 bulletins ont été annulés parce que surchargés d'aigles, de petits chapeaux ou de suppliques en faveur de l'Empire. Dans le Nontronnais, la satisfaction apparaît plus massive encore; à Hautefaye, comme dans certaines communes de la montagne limousine, la totalité des électeurs se prononcent en faveur du « oui ».

On sait toutefois les pressions exercées par l'administration. Il convient d'en tenir compte. L'ampleur des manifestations festives doit donc être considérée comme plus significative que l'acte électoral. Dans les villages, à l'annonce des résultats, on pavoise, on tire des salves, on illumine, on organise des banquets, on allume des feux de joie. Ici et là, on abat ces arbres de la liberté que l'on tournait déjà en dérision au printemps 1848. Tandis que, sur une grande partie du territoire, se déroule la plus massive des insurrections du siècle [108], les électeurs de la région que nous qualifierons de Centre-Sud-Ouest – pour la plupart partisans des démocrates-socialistes en 1849 – manifestent joyeusement leur adhésion. Ils le font avec une ardeur inconnue, sauf peut-être en 1830, à *la chute des Bourbons*. Malgré la distance temporelle de plus de vingt ans qui les sépare, il convient d'unir ces deux effervescences de la liesse; elles sanctionnent la revanche de 1815 accomplie en deux actes. Pour les paysans du Nontronnais, semble-t-il, les dix-huit années de la monarchie de Juillet et, dans une moindre mesure, les premiers mois de la IIe République, ne constituent qu'un hiatus sans grande signification politique [109].

Répondre « non » à Louis-Napoléon Bonaparte, ce serait rouvrir les portes « aux voleurs des caisses publiques » : tel est l'argument qui semble prédominant dans les campagnes du Périgord, en décembre 1851; c'est sur cet enjeu que le préfet Albert de Calvimont insiste, dans la proclamation qu'il adresse aux électeurs de son département [110]. Alors germe le projet d'offrir au président un symbolique *Balai d'or,* sans qu'on puisse savoir la manière dont les campagnes ont reçu cette proposition. Quoi qu'il en soit, l'idée plaira suffisamment à l'intéressé pour qu'il s'empresse d'y faire allusion devant les élus de la Dordogne au Corps législatif.

Jusqu'en 1870, les républicains restent mal vus des paysans du Périgord. A la fin du règne, quand le parti renaît, les anciens quarante-huitards imposent à nouveau leur autorité [111]; aux yeux du paysan, cette permanence des hommes ne pouvait que favoriser celle de l'hostilité. Quant à la nouvelle génération, elle se révèle d'emblée coupée de l'électorat rural; la lecture attentive des documents concernant la campagne de 1869 le montre clairement [112]. Malgré la relative liberté qui leur est accordée, les républicains ne réussissent pas à organiser de réunions dans les communes rurales de la Dordogne; leurs quelques tentatives se soldent par des échecs. En dehors des villes où se groupent leurs partisans, ils ne peuvent, ici et là, attirer plus d'une poignée d'électeurs, des artisans pour la plupart [113]. La bourgeoisie citadine ne possède pas, dans les campagnes, l'influence dont disposait naguère cette bourgeoisie rurale qui avait conduit et orchestré le ralliement à Louis-Napoléon; elle ne bénéficie pas de la même proximité territoriale et sociale; son langage n'est pas celui de la familiarité. Le savoir, le talent, la rhétorique de cette bourgeoisie urbaine qu'incarne l'avocat Louis Mie ne la rend pas, pour l'heure, très sympathique au paysan. Les militants républicains qu'elle produit le sentent fort bien et le disent, notamment après le terrible échec qu'ils subissent à l'occasion du plébiscite du 8 mai 1870 [114].

Dans les campagnes du Périgord, comme dans celles de l'arrondissement de Saint-Yriex [115] qui le bordent au nord, l'attachement à l'empereur s'approfondit entre janvier et mai 1870. Les ruraux acceptent mal l'agitation et la dérision parisiennes qui s'en prennent si violemment au souverain. A nouveau, l'on répète que la restauration impériale est l'œuvre de la paysannerie; à nouveau se proclame la volonté de défendre Napoléon III contre le déchaînement de la parole et de l'émeute. Tandis qu'au début de l'année 1870, les troubles soudent, dans tout le Sud-Ouest, les morceaux, longtemps disjoints, de l'ancien parti de l'ordre [116], l'inquiétude et l'irritation des campagnes exacerbe le vieil antagonisme à l'égard de la ville [117]. Il serait difficile de bien comprendre les résultats de l'élection à l'Assemblée nationale, le 8 février 1871, ainsi que l'attitude des ruraux lors de la Commune, sans considérer avec attention ce qui se déroule dans la profondeur du pays entre janvier et mai 1870... mais cela est une autre histoire.

IV – *La logique de l'attachement*

Après avoir essayé de montrer la structure logique du faisceau qui regroupe, dans le même élan de détestation, le curé, le noble et le républicain, l'essentiel est pour nous d'en venir à l'attachement au souverain. C'est lui qui, par l'intensité des affects qu'il met en jeu, fonde la cohérence et la vivacité des antagonismes. L'attachement – car il s'agit bien de cela et non d'une simple adhésion – au prince-président, puis à l'empereur contribue à dessiner l'image de soi, et, partant, celle du groupe [118]. Le scrutin du 10 décembre 1848, les trois plébiscites, les élections au Corps législatif ont permis à l'électorat villageois d'apporter périodiquement son soutien au souverain et d'approfondir, ce faisant, la conscience de son identité politique.

Il conviendrait, mais cela dépasserait notre propos, de faire la *généalogie de cet attachement* à l'empereur, que les républicains eux-mêmes placent à l'origine du massacre de Hautefaye. Nous possédons de bons travaux sur la « légende napoléonienne », sur son contenu, ses rythmes, les mécanismes de son élaboration et de sa diffusion; nous savons peu de choses sur les dispositifs affectifs qui ordonnent sa réception. Ainsi, il conviendrait d'étudier le rôle de la rumeur dans ce processus d'adhésion. Ce que l'on qualifie de « bonapartisme » des campagnes du Sud-

Ouest repose sur une prise de conscience de l'identité paysanne, soudée par le plaisir que procure l'échange de tous ces bruits, absurdes aux yeux de l'administration. A l'autre extrémité de la chaîne, il existe d'intéressants travaux sur le bonapartisme, fort peu sur *l'Empire au village*. Cependant le drame de Hautefaye est bien là, qui exige notre attention. Tentons une rapide esquisse [119].

A l'origine de l'attachement du paysan de la Dordogne à la personne de Napoléon III se situe le souvenir du passé glorieux de l'Empire, relayé puis réaménagé par ce que l'on est convenu d'appeler la légende napoléonienne, au lent et, somme toute, tardif cheminement. Le plus important, pour ce qui nous concerne, demeure l'enracinement progressif des mythes du (des) Napoléon du peuple [120]. Ceux-ci inscrivent le Consulat, l'Empire et, plus encore, les Cent Jours dans la filiation de la Révolution, voire dans celle de 1793; ils tendent à faire de l'armée impériale la matrice d'une figure nationale du peuple [121].

Durant la Restauration, sur l'ensemble du territoire, l'immense majorité des cris séditieux, des manifestations de haine ou d'insolence à l'égard du roi et de la famille royale relèvent, on le sait, de l'attachement nostalgique à l'Empire [122]. En 1830, la liesse qui explose dans les campagnes de la Dordogne dégage un parfum de restauration impériale. Les paysans empruntent alors leurs chants à l'Empire. Les drapeaux tricolores que l'on sort des greniers à cette occasion et que déploient les gardes nationales ne sont pas ceux de 1789 mais les « reliques sacrées » [123] de la Grande Armée. Dubernard de Montmège, adjoint de Saint-Geniès, remet à la section de sa commune l'étendard qu'il a pieusement conservé depuis la chute de Napoléon. Barrière, ancien sous-officier de l'armée impériale, confie à la garde nationale de Sarlat un drapeau qu'il a rapporté de la campagne de 1814; et Georges Rocal se demande avec raison si l'on a partout pris le soin d'arracher l'aigle qui figurait sur la hampe de ces drapeaux.

Dès le milieu du printemps de 1848, la légende napoléonienne se trouve, tout à la fois, assumée et déviée par la propagande bonapartiste. La chanson, la brochure, la gravure, la statuaire associent l'oncle au neveu. Puis, aux yeux des historiens, s'opère en Périgord *la captation* des forces de la démocratie populaire par les agents du césarisme [124]. Nous avons tenté de mettre en évidence un des aspects de ce processus. Il faut toutefois bien saisir ce que l'image de la captation comporte d'a priori. Elle implique l'existence d'un courant démocratique et populaire, indépendant de l'idée impériale et du sentiment qui l'anime; elle tend à minimiser l'autonomie de l'attachement aux Bonaparte. On pourrait tout aussi bien, et sans doute avec de plus solides arguments, utiliser ici l'image de *la résurgence.* Alors fait retour et s'expose au grand jour ce césarisme démocratique sans lequel l'histoire politique du XIXe siècle se révèle, jusqu'en 1870, totalement incompréhensible pour qui refuse de la réduire au débat idéologique qui se déroule à la tribune du Palais Bourbon, dans les salons et dans les bureaux de la presse parisienne [125].

Ensuite s'accomplit ce qui, pour notre propos, constitue les processus décisifs : l'épuisement du transfert de l'oncle au neveu, l'ascension d'un solide attachement à la personne de Napoléon III. Il convient de se méfier de l'anachronisme et de l'effet déformant produits par la légende noire, initiée par les grands proscrits, réaménagée par les radicaux à la fin du règne, avant d'être amplifiée et banalisée à l'aube de la IIIe République [126]. L'immense succès des images imposées par les *Châtiments* et par *Napoléon le Petit* risque de nous priver de la compréhension des sentiments politiques des paysans du Second Empire. Le système de représentations forgé par l'opposition demeure alors étroitement cantonné. Son ancrage dans les campagnes résulte d'un travail ultérieur, effectué sur l'imaginaire.

Pour l'heure, l'attachement, les sentiments d'admiration et de reconnaissance éprouvés par les paysans du Nontronnais à l'égard du souverain génèrent *ce véritable culte* que les républicains de la Dordogne dénonceront avec la plus grande violence, à l'aube de la IIIe République [127]. L'avocat Louis Mie fondera sur l'intensité de l'adhésion la défense des meurtriers de Hautefaye. Mais, une fois encore, il convient de garder la tête froide. Paradoxalement, ces républicains avaient intérêt à exagérer l'attachement à l'égard de la personne de Napoléon III, afin de souligner plus aisément le ridicule d'un tel sentiment. A les entendre, on avait fini, dans les campagnes du Nontronnais, par croire en la « Providence impériale »; on pensait que l'empereur était, à proprement parler, capable de faire la pluie et le beau temps; on était convaincu de son invincibilité, voire de son immortalité. L'excès a visiblement pour but de démontrer le caractère primitif et surtout *irrationnel* de l'adhésion, afin de mieux la disqualifier.

Qu'en était-il réellement des formes de cet attachement? Nous l'avons vu, celui-ci se révèle déjà très fort le 10 décembre 1848 [128]. Ce jour-là, rappelons-le, on festoie, on boit dans les auberges du Périgord. La liesse se déchaîne à nouveau au soir du 22 décembre 1851, et plus vivement encore en novembre 1852, à la proclamation des résultats du plébiscite sur le rétablissement de l'Empire. Malgré les pluies torrentielles qui ont gonflé les rivières et gêné la circulation les deux jours du scrutin, seuls 4 936 électeurs s'abstiennent dans l'arrondissement de Nontron; 19 430 se prononcent pour le « oui » et 88 seulement pour le « non ». A la ville, nombre de « rouges » ont refusé de participer au vote; la plupart de ceux de la campagne, au dire du sous-préfet [129], ont en revanche accepté d'apporter leurs voix au futur empereur. Le clivage qui fragmente la masse des démocrates-socialistes s'est creusé depuis un an; il demeurera perceptible jusqu'à la fin du règne. Les opposants ont tenté, mais en vain, d'utiliser, une fois encore, la rumeur. A les croire, le nouvel empereur allait rétablir l'impôt sur le sel, doubler le traitement des curés, augmenter le montant de la liste civile; déjà il projetait de rétablir l'indemnité au profit des membres du Corps législatif. Ces rumeurs laissent les paysans incrédules; leur propagation ne répond sans doute à aucun besoin psychologique et ne procure aucun plaisir. Elles ne peuvent endiguer l'enthousiasme de l'adhésion.

Dans la commune de Monfaucon, la totalité des électeurs qui ont participé au scrutin – 127 sur 157 inscrits – se prononcent pour le « oui »; le soir du 22 novembre 1852, le maire écrit au préfet : « Le nom magique d'Empire a fait trouver des forces aux plus infirmes, qui depuis longtemps avaient cessé de venir émettre leur vote [130]. » Avant même la chute de la République, la fête impériale commence donc de s'enraciner au village, lequel n'avait pas connu de véritables festivités politiques depuis le printemps 1848 [131].

L'adhésion s'affirme ici avec d'autant plus d'intensité que la bourgeoisie rurale incite à l'expression des sentiments; elle utilise habilement, pour ce faire, l'hostilité des paysans à l'égard des notables. Fêter bruyamment l'avènement de Napoléon III, c'est, croit-on, implicitement défier le noble et le curé.

Mais on aurait tort de s'en tenir là. Les modalités de l'attachement à l'égard de l'empereur sont différentes en décembre 1852 et en août 1870. Entre ces deux dates, s'est accrue la rationalité du sentiment. On a trop tendance à négliger ce phénomène historique : la lente élaboration d'une logique de la fidélité. Au fil des années, le rôle du souvenir historique, celui de l'attente anxieuse d'un hypothétique désordre n'ont cessé de décliner. L'analyse de la situation, la saisie du réel suffisent peu à peu à entretenir la fidélité paysanne, et, du même coup, à consommer le discrédit des adversaires du souverain. Le drame de Hautefaye est le fruit de cette mutation des racines du sentiment.

Reportons-nous au début de l'été 1870. Le paysan perçoit alors clairement que, depuis dix-huit ans, l'action politique se focalise sur des « intérêts matériels » précis. L'administration, obsédée de réalisations et d'efficience, ne cesse de mettre en avant son intention de délaisser le maniement du verbe au profit de la quête de solutions aux problèmes concrets. Elle a su se rendre convaincante.

Pour ce faire, les administrateurs utilisent le langage de la modernité. Répétant depuis deux décennies leur intention de s'occuper « des intérêts jusque-là si négligés des populations rurales [132] », ils offrent en permanence leur médiation. Or, les paysans que, selon le préfet, seules touchent « les questions administratives » [133], sont fort capables d'une analyse réaliste des effets visibles et immédiats de l'action du pouvoir.

Le nouveau régime et ses représentants relèguent bruyamment l'idéologie, la rhétorique, la politique des partis dans la sphère des instincts et des passions libérées. L'excès, la turbulence, la jalousie, l'envie, la vengeance, la spoliation, tels sont les moteurs désignés de l'action qualifiée de « démagogique ». Dans cette parole « impérialiste », la politique ressortit à l'éthique. L'opposition se trouve reléguée dans le champ du mal; l'action de l'empereur, en revanche, vise à l'ordre moral. Bien avant la présidence de Mac Mahon et le gouvernement du duc de Broglie, l'expression revient avec insistance dans les rapports des préfets et des procureurs [134]. Les efforts, évidents, que les administrateurs déploient en vue de développer l'instruction relèvent en partie de ce désir proclamé de sauvegarder la société des tristes effets des passions qualifiées de « démagogiques [135] ».

Libéraux et républicains réclament les « libertés nécessaires » [136]. Qu'est-ce que cela peut alors évoquer à Hautefaye? Liberté de la presse : le paysan semble s'en préoccuper fort peu, pourvu qu'il puisse lire – ou se faire lire – dans le journal les faits divers, les annonces et les nouvelles locales. Liberté de réunion politique : il y voit, nous dit-on, la menace d'une reprise de l'agitation.

D'autres désirs ordonnent sa vigilance : le juste équilibre entre la liberté de chasser, de pêcher, de se rendre au cabaret et le nécessaire maintien d'un ordre rural favorisé par la création d'une garderie champêtre. Ce qui semble alors assuré dans le Nontronnais, à lire la précision des rapports triomphalistes rédigés par les commissaires cantonaux [137]. Le paysan, répète-t-on, fixe son attention sur tout ce qui peut accroître la prospérité, améliorer la production, faciliter la circulation et la commercialisation des produits : en Nontronnais, on travaille activement aux chemins vicinaux, on encourage la tenue des foires et des marchés, au grand dam des notables. La hausse des cours du bétail sur pied suscite l'élévation des revenus [138], en 1867 encore et même au cours de la difficile année 1868 [139]. Jamais, reconnaîtra Louis Mie, les paysans de Hautefaye n'avaient connu une telle prospérité que sous le Second Empire.

L'agriculteur désire, nous dit-on, que sa commune prospère, que les édiles municipaux se révèlent soucieux de modernisation. Or, dans les campagnes du Nontronnais, le Second Empire correspond, à ce propos, à une période de mutation, nous pourrions dire de décollage, marquée par la construction d'écoles, la réparation de presbytères, l'ouverture de cimetières, la création de chemins [140].

Enfin, le paysan est fier de tout ce qui exalte la société rurale. Le régime, en Nontronnais, a créé le premier comice[141] et entretenu une intense activité festive au village; les feux d'artifice et les danses du 15 août viennent doubler les plaisirs de la foire.

Dans le domaine politique, on le sait, le choix des maires ruraux, la fréquente mise à l'écart des notables satisfont le paysan; lequel apprécie de pouvoir choisir les conseillers municipaux, élus au suffrage universel. A l'échelle nationale, le paysan participe à l'élection du Corps législatif; il lui est donc loisible d'entrer de cette manière dans l'échange qui, à ses yeux, s'instaure entre le souverain et lui. Par un jeu de don et de contre-don, il apporte son suffrage à l'empereur, dont il attend sollicitude, largesses et, éventuellement, récompense. Ainsi, la candidature officielle prend tout son sens. Il ne s'agit pas tant d'élire un représentant que d'apporter – ou de refuser – son soutien au souverain et à la dynastie. Le vote ne constitue qu'une des modalités possibles du soutien; celui-ci suppose aussi la détection des ennemis de l'empereur et, en cas de menace jugée grave, le passage à l'acte pour assurer sa défense.

Il importe peu que les candidats de Napoléon III soient un Magne ou un Welles de Lavalette. Le premier, ministre des Finances et des Travaux publics, embellit Périgueux; il a pour lui la visibilité de ses réalisations. A propos du second, il n'est pas sans saveur de constater que les « cannibales », les « primitifs » de Hautefaye élisent, des années durant, un bostonien, pur représentant de ce capitalisme cosmopolite, à la modernité agressive, qui, pour beaucoup de ses adversaires, symbolise le régime détesté.

Dernière préoccupation du paysan en matière politique, une fois assurée la défense contre tout empiètement du noble et du curé : le maintien du remplacement ou de l'exonération, et celui des exemptions, notamment pour « situation de famille ». Il importe qu'en cas de besoin, on puisse disposer d'un « cochon vendu », afin de garder le fils près de soi. Ne l'oublions pas, la paysannerie affectionne alors la métaphore de l'animal. L'élaboration d'une nouvelle loi militaire a, un temps, entretenu l'inquiétude dans la région. Mais jamais l'anxiété n'y a atteint le même niveau que dans le Toulousain [142]. Dans la Dordogne, au dire des administrateurs, le malaise dure peu. L'idée d'une garde nationale mobile est vite acceptée [143]. La confiance dans le génie militaire de l'empereur est telle que l'on n'imagine pas que cette force puisse être utilisée. Napoléon – « Pouléoun » –, après tout, a déjà battu les Russes et les Autrichiens; il est l'ami de l'Angleterre, la seule puissance qui se soit naguère révélée capable de résister victorieusement à son oncle. Quant à la garde nationale sédentaire, au cas où elle serait réellement organisée, elle autoriserait la démonstration de la virilité au village. Ajoutons que Napoléon III a su sauvegarder et même restaurer l'honneur national; les communes rurales de la région ont bruyamment fêté la victoire de Crimée et les succès de la guerre d'Italie [144].

Le prestige du souverain est conforté par l'habileté des mises en scène de son pouvoir et de sa vie privée; notamment par le faste qui se déploie à l'occasion de ses voyages. Napoléon III traverse à plusieurs reprises le Sud-Ouest pour se rendre à Bordeaux ou à Biarritz. Toutes les manifestations festives – et elles sont plus nombreuses et surtout plus intenses que par le passé – se déroulent aux cris de « Vive l'Empereur! Vive l'Impératrice! Vive le Prince impérial! », poussés par des milliers d'individus. Pour les paysans de la Dordogne, l'acclamation semble devenue un automatisme.

Périodiquement, l'anxiété atteste et avive l'attachement. En 1859 déjà, l'on craint dans la région que l'empereur, trop téméraire, n'expose imprudemment sa personne sur les champs de bataille d'Italie. Quand le souverain en vient à prendre de l'âge, le souci dynastique se manifeste plus vivement. En 1867, une rumeur anxieuse circule dans les campagnes de la Dordogne : le prince impérial serait atteint d'un mal incurable. En 1868, nous l'avons vu, la foule se porte massivement au secours de l'empereur, quand elle tient pour imminente l'exécution d'un complot fomenté contre lui par les nobles et par les curés. Au début de l'année 1870, on s'inquiète de la menace que fait peser l'agitation républicaine. Il convient de veiller et, au besoin, de défendre le souverain : tel est ici le lieu géométrique des attitudes [145]. Cette mission implique une *perspicacité collective;* elle suppose la mobilisation de tous et la diffusion, par la rumeur, de l'information et des mots d'ordre destinés à déjouer les complots; seule en effet *la trahison* peut efficacement menacer un souverain dont la défaite serait celle de la paysannerie et, plus largement, celle de la nation tout entière. Si l'urgence imposait de passer à l'acte, comme ce fut le cas en 1868, l'empereur saurait, le moment venu, distribuer ses récompenses. En travaillant pour la défense de Napoléon III, les paysans de la Dordogne estiment œuvrer pour leur propre cause.

Le drame de Hautefaye n'est pas irruption, fissure inattendue qui permet le déchaînement de forces primitives. Par ses visées, par les modalités de son déroulement, sinon par ses excès, il s'inscrit dans la logique des comportements antérieurs. Les nouvelles désastreuses de la guerre, l'ascension de la figure angoissante du Prussien cristallisent, unissent en faisceau toutes les représentations hostiles suggérées par l'imaginaire politique. Une confluence s'opère entre les images sociales et nationales de la menace. L'intensité inouïe de la crise psychologique impose la quête d'un bouc émissaire capable d'assumer la totalité des antagonismes. Ce fut un noble. Cela aurait pu être un curé; il s'en fallut de peu. Cela aurait pu être un républicain; d'ailleurs on s'imagina que c'était le cas. De toute manière, la victime aurait sans doute pris la forme d'un fantasmatique Prussien.

L'essentiel est de bien saisir que ce bloc antagoniste, dont on pressent l'invasion comme imminente, se trouve doté, dans l'esprit des paysans, d'une forte cohérence; celle-ci explique le caractère interchangeable des identités menaçantes. Sinon, l'on ne pourrait comprendre le supplice de Hautefaye. L'événement, en effet, résiste à l'analyse menée à la lumière de la science politique. Alain de Monéys est mort de ne pas l'avoir pressenti. C'est dans les premières minutes que son sort se joue, dans le choc de deux logiques, de deux cultures politiques. A peine est-il entré dans le village que le colporteur Brethenoux lui adresse la parole; il lui apprend que son cousin, Camille de Maillard, jeune noble légitimiste, a été pris à crier « Vive la République! ». C'est impossible, rétorque avec vigueur Monsieur de Monéys, saisi de l'illogisme d'un tel cri dans la bouche de son parent. Et c'est ce qui le tue; il n'a pas compris que pour les centaines de paysans assemblés à la foire, il apparaît au contraire fort logique qu'un membre détesté de sa caste soit partisan de la république. Un vote à main levée est aussitôt décidé par le colporteur; la *totalité* des spectateurs réunis dans un pré certifient, de cette manière, que Camille de Maillard a bien crié : « Vive la République! » – ce qu'il n'a sans doute pas fait, mais peu nous importe [146]. Du même coup, la protestation tranchée et réitérée, inspirée à Monsieur de Monéys par sa logique politique, est devenue suspecte; assurément, il participe au complot; il faut donc le tuer pour contribuer à la défense de l'empereur, de la nation et de soi.

Mais avant d'entrer plus franchement dans le récit du drame, il convient de décrire, avec plus de précision, la conjoncture dans laquelle celui-ci éclate et le théâtre sur lequel il se déroule.

CHAPITRE II

L'ANGOISSE ET LA RUMEUR

I – *L'argent prussien*

Le drame de Hautefaye résulte d'une angoisse collective dont il convient de mesurer l'ampleur et l'extension [1]. Au dire du préfet, les habitants de la Dordogne accueillent sans surprise la déclaration de guerre [2]. Depuis 1866, assure-t-il, on la considérait comme fatale et comme imminente [3]. Durant les premiers jours, on le sait, les Français, dans l'ensemble résignés, font preuve de « résolution patriotique » [4], non d'enthousiasme belliqueux. Lors du départ des troupes, on ne relève pas de ces chaleureuses manifestations qui marqueront les débuts de la Première Guerre mondiale. Dès la fin de juillet toutefois, commence de s'opérer un basculement de l'opinion. Au fil des jours, *le sentiment national s'affirme;* du moins telle est la thèse de Stéphane Audoin-Rouzeau. La guerre, qui était celle de l'empereur, devient peu à peu celle de la nation tout entière; c'est ce qu'indiquerait le préfet de la Dordogne lorsque, le 6 août, il parle d'« enthousiasme ».

La « conversion patriotique » de l'opinion impose aux partis une sorte d'union sacrée. Les opposants donnent alors l'impression de se rallier au régime. Il faut dire qu'adopter une attitude contraire, serait courir le risque d'être qualifié de « Prussien ». D'ailleurs, la victoire de Sarrebrück, fortement surestimée, fait taire les plus timorés. Le 6 août, les habitants de la Dordogne se réfèrent joyeusement à ce stérile succès. Le clergé, pour sa part, semble, un temps, oublier ses griefs; l'annonce du retrait de la garnison de Rome ne suffira pas à enrayer cet apparent ralliement. Ici et là, dans le Tarn [5], et aussi dans le Lot [6], les curés quêtent pour les blessés et décident des prières pour les combattants. Ailleurs, les prêtres se montrent plus distants et se contentent d'une neutralité bienveillante. Telle est ainsi, dit-on, l'attitude du clergé de la Vienne. Les légitimistes, quant à eux, font preuve de plus de réticence. A vrai dire, en cette fin de juillet, ils se montrent partagés; dans certaines régions de l'Ouest et du Sud-Ouest, ils refusent de participer au mouvement patriotique. Pour le moment, les républicains modérés semblent faire taire leur ancienne rancune; ils reportent à plus tard l'espoir de réaliser leurs projets.

Seule, par conséquent, l'extrême-gauche exprime bruyamment son opposition. A Paris comme à Marseille, blanquistes, disciples de Proudhon, néo-jacobins, membres de l'Internationale critiquent ouvertement la déclaration de guerre. Quant aux républicains radicaux, leur attitude diffère selon les régions. Dans le Midi aquitain, languedocien et pyrénéen, leur opposition est assez résolue. Dans la Dordogne, il paraît en être de même [7], ainsi que dans la Vienne, si l'on en juge par l'attitude du *National*, publié dans ce département. Dans le Tarn, les républicains radicaux se montrent plus audacieux encore; au début du mois d'août, « les anciens soldats qui, par chemin de fer, vont rejoindre leur régiment ou leur dépôt, sont assaillis aux alentours de la gare par les meneurs du parti (démocratique) qui les excitent à tirer sur leurs chefs et sur l'empereur plutôt que sur les Prussiens [8] ». Çà et là, mais sans qu'il soit possible de leur attribuer une grande signification, des cris séditieux menacent la personne du souverain et celle du prince impérial. A Limoges, retentissent déjà quelques vivats républicains.

Au début du mois d'août – le 5 et le 6 à Paris –, on apprend les défaites de Wissembourg, de Forbach et de Froeschwiller. A partir de cette date, le pouvoir pratique une évidente rétention de l'information [9]. Cette disette engendre une progressive montée de l'inquiétude. La province semble alors plus tranquille que Paris. D'une manière générale, l'anxiété se propage plus rapidement dans les villes que dans les campagnes. Quoi qu'il en soit, la rareté des nouvelles laisse le champ libre à la rumeur; elle favorise le climat d'espionnite. Par endroits, nous y reviendrons, se déclenchent même des phénomènes de Grande Peur.

La croissance de l'inquiétude ne suffit pas toutefois à faire basculer tous les adversaires du régime dans une opposition résolue. Certes, le ralliement initial commence de s'effriter; nombre de cléricaux et de légitimistes n'hésitent plus à désapprouver ouvertement la politique romaine; d'autant que la préparation des élections municipales, maintenues le 6 et le 7 août, a localement relancé le débat politique. Mais l'heure n'est pas encore venue de la démoralisation. Les Français s'accrochent à la moindre rumeur de victoire; ils nient l'évidence et tentent d'exorciser la défaite, à laquelle ils refusent de se résigner.

Cela dit, les campagnes souffrent déjà de l'ampleur inattendue du conflit. Le rétablissement de la garde nationale sédentaire pour tous les citoyens valides âgés de trente à quarante ans, l'appel, avec un an d'avance, de la classe 70 dans sa totalité, et surtout le rappel des anciens militaires

davidson-sutherland
jun 30 4 73

de moins de trente-cinq ans, qu'ils s
non, ont causé autant de désagréabl
est ainsi à Hautefaye [11], bien que, con
des communes, l'on n'ait pas à ce
d'organiser la garde nationale [12]. En
nion demeure étrangère à toute idee de mobilisation générale. Le massacre d'Alain de Monéys se déroule dans cette atmosphère de levée en masse [13], effectuée dans l'inquiétude mais non dans le désespoir; climat encore optimiste dont témoigne le grand nombre de volontaires qui viennent alors s'offrir à la défense du territoire. Telle est d'ailleurs l'attitude de la future victime du meurtre de Hautefaye.

Le 9 août, le jour de la chute du ministère Ollivier, une foule de dix à trente mille républicains manifeste bruyamment devant le Palais-Bourbon et réclame la déchéance de l'empereur. Des incidents éclatent à Toulon, à Marseille, à Mâcon, à Montpellier, au Creusot. A Limoges, la foule crie : « Vive la République! ». A Angoulême et, le 8 août déjà, à Périgueux, l'anticléricalisme des citadins se donne libre cours [14]. Dans la préfecture de la Dordogne, le séminaire est dévasté [15].

Il cst impossible de savoir ce qui, le 16 août, a pu filtrer sur le foirail de Hautefaye de tous ces mouvements qui dessinent ce que l'on a parfois qualifié de « pré-Quatre Septembre ». Ce jour-là, d'autre part, se déroule l'indécise mais terrible bataille de Rezonville dont l'issue, interprétée trop favorablement, relancera un temps les fallacieux espoirs de l'arrière. On sait toutefois que la nouvelle des défaites survenues entre le 4 et le 6 août est alors commentée à la foire. Celle-ci se déroule dans un climat d'anxiété, bien que la terrible sécheresse de cet été 1870 fasse, d'une certaine manière, écran aux mauvaises nouvelles du front. Les paysans s'inquiètent du sort de l'empereur, depuis qu'ils ont appris que celui-ci a rejoint le théâtre des hostilités [16]. Ils craignent pour le régime; ils sont incertains de leur propre sort. Selon le préfet, le départ des soldats a même donné lieu, dans la Dordogne, à quelques scènes de désespoir. On commence à parler de la présence de Prussiens dans les régions voisines. Bref, on semble ici à la veille d'une nouvelle Grande Peur.

Inquiétude ne signifie pas alors renoncement; bien au contraire. Les mauvaises nouvelles du front provoquent, dans l'ensemble du pays, un désir accru d'implication personnelle [17]. Au même moment, l'hostilité que les paysans du Périgord et de la Charente éprouvent à l'égard des républicains trouve de nouveaux aliments. En 1869 déjà, le langage des radicaux de Périgueux était d'une extrême dureté; Louis Mie ne se privait pas de traiter alors l'empereur de tyran et d'aventurier [18]. A la nouvelle des défaites, ces républicains avancés relèvent la tête. A Nontron, depuis le 7 août, écrira plus tard l'ami de Gambetta, le jeune Alcide Dusolier, ils tiennent le haut du pavé. A partir du 10, ils maudissent ouvertement l'empereur; la république apparaît désormais fatale dans cette sous-préfecture [19]. Les ténors du parti bonapartiste, du moins ceux que l'on appelle les « plébiscitaires », commencent de se terrer. Si ce témoignage est exact, il faut admettre une distorsion entre l'attitude des notables, timides et découragés, et celle du peuple des campagnes, prêt à passer à l'action pour défendre son souverain. La diversité des analyses du drame qui se joue entraîne la divergence des comportements et l'inégal degré de la résolution. De toute manière, il est fort probable que l'attitude décidée des républicains de Nontron – distant de quinze kilomètres – était, le 16 août, connue des paysans assemblés à la foire de Hautefaye. On comprend leur irritation; d'autant que, chez eux, le patriotisme se trouve à son zénith.

L'opinion des ruraux, nous l'avons vu, est alors travaillée par l'entrelacs des rumeurs. L'une des conséquences du drame sera de révéler l'ampleur de la circulation des bruits. Ces derniers, à vrai dire, concernent davantage les nobles et les curés que les républicains. L'affaire de Hautefaye donne à penser que l'analyse du contenu de la presse et des rapports administratifs conduit à sous-estimer l'intensité de la haine à l'égard des aristocrates. Le paysan semble alors renouer avec un lointain passé. Comme en 1815, pense-t-il, les Prussiens vont, avec l'appui des nobles, ramener le roi dans leurs fourgons [20]. En Périgord, on s'imagine, à tort, que la noblesse, toujours insensible au sentiment national, demeure solidaire des aristocrates d'outre-Rhin. Comme jadis, les Prussiens vont piller, brûler la maison du paysan [21]; ils vont violer sa femme et ses filles; mais ils épargneront soigneusement les châteaux. Quant aux curés de la campagne, auxquels on reproche avec jalousie d'échapper à la conscription, on les accuse de former des vœux pour tous les ennemis de l'empereur.

Les manifestations de cette hostilité débordent de beaucoup le cadre de la région. Dans la Somme, le comte d'Estourmel, légitimiste notoire, sera menacé jusque dans son château [22]. Dans le Haut-Rhin, on s'en prend à un membre républicain du Corps législatif. Dans le Tarn comme dans le Gard, on accuse ouvertement les protestants de collusion avec la Prusse [23]. En Bourgogne, les paysans s'imaginent que les curés envoient à l'ennemi la totalité des aumônes qu'ils recueillent.

Les mailles de la rumeur hostile paraissent toutefois se resserrer dans la région qui nous occupe. Il convient, il est vrai, d'être prudents : l'enquête imposée par le drame a sans doute révélé des bruits et des gestes qui, ailleurs, seraient demeurés insaisissables. Dans la Vienne, la rumeur prolifère. A Châtellerault, on pourchasse les espions prussiens. Au milieu du mois d'août, l'on s'en prend à un individu soupçonné à tort d'intelligence avec l'ennemi. « A bas le Prussien! A l'eau le Prussien! », crie la foule déchaînée. En fait, le malheureux est un simple employé de chemin de fer [24]. Dans les petites communes de Vezières et de Beuxes, on accuse les curés d'être des agents de l'ennemi. Dans la seconde de ces paroisses, afin de mieux le confondre, on suit le prêtre en « répandant, le soir, des cendres sous ses pas [25] ». A la foire de Charras, petite localité de la Charente, on tient, quelques jours avant le drame, des propos identiques à ceux qui, le 16 août, déclencheront la tuerie de Hautefaye [26]. Or, moins de dix kilomètres séparent les deux villages.

L'enquête révélera combien fréquentes sont, à la veille du massacre, les menaces adressées aux prêtres de la région, notamment à ceux du Nontronnais. Le juge de paix de Champagnac-de-Belair constate que divers habitants de Cantillac s'en prennent au vénérable curé de Saint-Pancrace; ils accusent le malheureux d'envoyer de l'argent aux Prussiens. A Sceau-Saint-Angel, le même soupçon pèse sur le marquis Amédée de la Garde [27]. A Saint-Paul-de-Lizonne, un antiquaire qui regarde, trop attentivement estime-t-on, les fresques de l'église, se voit menacé par les fidèles indignés [28]. L'empereur est trahi par les nobles et par les prêtres qui envoient de l'argent aux Prussiens, telle est bien, selon Alcide Dusolier, la conviction des habitants des campagnes. « On citait les sommes, écrira-t-il en 1874, le curé de V... avait envoyé 16 000 francs; le comte de G... 25 000 francs, etc. [29]. » Une fois encore, la précision arithmétique étaye les rumeurs fondées sur la circulation fantasmatique de l'argent.

Les mêmes bruits agitent l'arrondissement voisin. Le surlendemain du drame, le procureur impérial de Ribérac les détaille dans le rapport qu'il adresse à son supérieur : « Le juge de paix de Neuvic m'écrivit (le 13 août) que les paysans de son canton attribuaient nos désastres à la réunion des évêques à Rome – le concile du Vatican – et au clergé français qui aurait envoyé aux Prussiens l'argent destiné au denier de Saint-Pierre [30]. » « Hier (17 août), M. le juge de paix de Verteillac et plusieurs autres personnes m'apprirent que plusieurs curés – notamment celui de cette paroisse et celui de Nanteuil – avaient tenu des propos qui permettaient de croire qu'ils se réjouissent du succès de nos ennemis »; d'où l'irritation des fidèles. Le curé de Vendoire – ainsi que celui de Cherval – aurait dit « qu'il gardait pour les Prussiens ses mets les plus délicats et *son meilleur vin* ». A l'issue d'un service, celui de Lusignac aurait défié un groupe de jeunes gens qui partaient pour le front : « Vous graissez vos bottes pour aller vous faire tuer! ...moi je reste. » Le curé de Villetoureix « connu pour ses opinions légitimistes, son caractère violent et ses opinions ultramontaines aurait adressé à un garde mobile une plaisanterie du même genre ». On a voulu le molester, mais un magistrat de Ribérac a réussi à disperser l'attroupement hostile. Le procureur a demandé au curé de la sous-préfecture d'inviter le clergé à cacher ses opinions. « Il est certain, ajoute-t-il, que ces Messieurs ont vu avec peine nos troupes quitter Rome et qu'ils manifestent avec leurs regrets, des espérances qui froissent le sentiment national. » Une fois de plus, se trouve mise en évidence la logique du comportement des paysans de la Dordogne. D'autant que, les années précédentes, l'administration ne s'était pas privée de désigner à leur vindicte l'opposition menée par les nobles légitimistes et par le parti clérical [31]. La guerre ne fait qu'aviver un sentiment aux multiples et lointaines racines.

La rumeur s'attaque aussi, mais avec moins de vigueur semble-t-il, aux coupables républicains. En pleine foire de Gençay, la foule s'en prend à Victor Jacquaud, directeur du *National de la Vienne*. On lui reproche d'avoir imprudemment formé des vœux pour la victoire de la Prusse. « On le menace, on le bouscule, on le frappe [...]. Un ami le sauve en le retirant chez lui. La maison est assiégée, prise d'assaut. Il parvient à s'enfuir, mais dans le voisinage il possède une maison de campagne. La foule s'y porte en masse. » Il faut la force armée pour en empêcher le sac [32]. Le scénario annonce, trait pour trait, celui de la tuerie de Hautefaye; et il s'en fallut de peu que l'on ait pu parler des « cannibales de Gençay ». Encore une fois, le drame du 16 août n'est qu'un révélateur. Il met au jour des phénomènes de psychologie collective, des désirs et des anxiétés qui débordent de beaucoup le territoire de la petite commune où il s'est déroulé.

Alcide Dusolier a, lui aussi, souligné la place tenue dans l'esprit des paysans par l'alliance supposée des nobles et des républicains. Dans les désastres, l'empereur « n'était cause de rien [...]. Jules Favre et Gambetta ont caché les armes, disait-on à ces innocents » et « ils répétaient le dire absurde [33] ».

Le jeune républicain comprend mal que la circulation de la rumeur crée des liens puissants entre les membres d'une communauté qui ne sait plus comment répondre à son angoisse [34] et qui doit impérativement discerner et désigner les responsables de son malheur, afin d'interpréter logiquement une situation confuse. Des spécialistes de psychologie sociale ont naguère analysé les modalités et les fonctions de la rumeur en période de guerre. Ils ont remarqué que celle-ci, bien souvent, « répand le virus de l'hostilité et de la haine contre des sous-groupes loyaux de la nation [35] ». L'attitude des paysans du Nontronnais obéit à cette logique. En outre, la crédulité est inégalement partagée au sein du corps social. Les individus n'entendent en effet que ce qu'ils attendent et, surtout, ce qui correspond aux figures de la menace, présentes antérieurement dans leur imaginaire. Enfin la tendance dominante est de chercher le traître, le persécuteur à l'extérieur du groupe d'appartenance [36].

Il existe donc une relation logique entre l'hostilité ancienne à l'égard des nobles, des curés et des républicains, le discours tenu par l'administration à la veille de la guerre et les rumeurs qui courent dans le Nontronnais, le 16 août 1870 [37]. On aura, au passage, remarqué la polysémie du qualificatif de « Prussien ». En ces occurrences, celui-ci désigne tantôt un agent supposé, tantôt un simple partisan de l'ennemi; jamais un étranger en chair et en os. C'est à Hautefaye seulement que, dans la violence du drame, certains esprits faibles en viendront à se persuader qu'Alain de Monéys est bien un authentique Prussien. Il faut le massacre pour que se réalise pleinement la métamorphose ou, plutôt, pour que s'opère la totale incarnation des figures hostiles imposées par l'imaginaire.

II – *Fête nationale, célébration du souverain*

Le drame de Hautefaye se déroule dans l'imbrication de deux temporalités festives : celle de la foire (14-16 *août*) et celle de la « fête nationale » (15 août). Alors, dans ce village, s'entrelacent la spontanéité de la liesse populaire et la joie enjointe par les autorités. Penchons-nous d'abord sur cette célébration du souverain, enkystée dans le temps de la réunion marchande. L'Assomption constitue l'une de ces « bonnes fêtes » à laquelle les paysans se montrent très attachés, même dans une région de faible ferveur, comme le Nontronnais. A Hautefaye, la fête religieuse revêt une importance particulière puisque l'église a pour titulaire et patronne Notre-Dame de l'Assomption [38]. Or, le Second Empire a su capter, au profit de la célébration officielle du souverain et de la nation, une tradition festive profondément ancrée dans la religion populaire. Il a réussi là où Louis-Philippe avait échoué, qui jamais n'était parvenu à nimber de liesse véritable sa fête du 1er mai, bien que celle-ci fût placée à l'aube du mois de Marie [39].

Selon les termes du décret du 16 février 1852 qui l'institue, le 15 août est une « fête nationale », tout à la fois rappel du Premier Empire, exaltation des principes de 1789 – mais pas de 1793 [40] – et célébration du prince-président, bientôt souverain. Mais pour les habitants des campagnes de la Dordogne, il s'agit avant tout de la fête de l'empereur ou, plutôt, pour employer le langage des maires ruraux, de celle de « notre empereur ». Les paysans célèbrent, ce jour-là, leur émancipation des patronages et l'unité nationale reconstituée sous l'égide de Napoléon III [41]. Autant dire que ce 15 août approfondit la conscience d'une identité politique.

Il ne semble pas que l'on ait fêté avec beaucoup d'entrain le 15 août 1870, ce qui n'a rien de surprenant. Les dossiers d'archives, jusqu'alors fort prolixes [42], ne parlent pas de festivités, cette année-là. On sait tout juste qu'à Périgueux, un *Te Deum* réunit les autorités à la cathédrale Saint-Front. Il semble que seules subsistent, en ce jour, les cérémonies officielles.

Reste qu'une pratique bien enracinée ne s'interrompt pas aussi brutalement sans laisser de traces dans les comportements. Durant les années 1860 en effet, à en croire les très nombreux rapports émanant des municipalités, la fête nationale est intensément vécue dans les villages de la Dordogne. L'affirmation des sentiments politiques s'y donne libre cours et colore en profondeur la liesse populaire. Il arrive d'ailleurs que le maire rural, tel celui de Sainte-Mondane en 1865, profite de l'occasion pour haranguer ses administrés. Le 15 août fournit aussi, dans les campagnes, l'occasion d'aviver la conscience municipale; bien que le clergé participe à une fête qui est aussi religieuse, il apparaît clairement que celle-ci joue en faveur de la mairie [43].

A la sous-préfecture, le 15 août se célèbre avec faste [44]. Le matin, les autorités assistent à une messe et entendent le *Te Deum*. Le cortège officiel parcourt des rues pavoisées, en attendant d'être illuminées [45]. En l'honneur du souverain, on distribue de la viande et du pain aux indigents. L'après-midi commencent les réjouissances populaires. A Nontron en 1869, l'année du centenaire, il s'agit de mâts de cocagne, de jeux de bagues et de tourniquet; une moderne course de vélocipèdes vient relayer la traditionnelle course en sac, signalée en 1865; puis s'ouvrent des « bals champêtres », avant que n'éclatent les feux d'artifice du soir. En bref, le 15 août à Nontron, tout en s'inspirant des fêtes royales de la monarchie censitaire, annonce, par bien des traits, ce que sera le 14 juillet sous la IIIe République [46].

La fête nationale au village nous importe davantage. D'abord frappe ici l'importance de la sonnerie des cloches. Dans certaines communes, on commence de carillonner la veille [47]. Le jour venu, le sacristain commence de bon matin; à Eymet, en 1865, les cloches retentissent dès cinq heures. Depuis l'aube, on a balayé les rues de la commune, précise pour sa part le maire de Bussière-Badil. Dans presque toutes les paroisses rurales, le curé entonne le *Te Deum* à l'issue de la grand-messe. Le maire, les membres du conseil municipal, éventuellement les pompiers et les organisations de la jeunesse assistent à la cérémonie. Partout, les autorités distribuent des secours; à Saint-Astier, ce jour-là, on nourrit soixante-quinze indigents. Le soir, se tient un banquet qui réunit les membres du conseil municipal. Des toasts sont portés au souverain et à la famille impériale. Alors commencent les réjouissances publiques. A la campagne, pétards, fusées et *feux de joie* remplacent le plus souvent les feux d'artifice. Presque partout, semble-t-il la fête se termine par un bal. Tout le jour durant, retentissent les cris de « Vive l'Empereur! », « Vive l'Impératrice! », « Vive le Prince Impérial! ». Malgré le cours dramatique des événements, il est probable que les habitants de Hautefaye et que ceux des villages voisins ont répété ces vivats, la veille du massacre. Les cris proférés le 16 août se situent, fort certainement, dans le prolongement des acclamations de la fête nationale.

Suivons, à titre d'exemple, les festivités qui se sont déroulées le 15 août 1866, au bourg de Vieux-Mareuil, situé à moins de quinze kilomètres de Hautefaye. « D'anciens militaires et des jeunes gens de bonne volonté, au nombre de quarante-cinq, s'étaient exercés pour manœuvrer à l'église et à la procession »; le jour venu, ils conduisent la cérémonie, tambour en tête. Ils vont chercher le drapeau tricolore à la *mairie;* ensuite, ils déchargent leurs fusils. Le maire et le conseil municipal se rendent en cortège à la messe solennelle; puis ils entendent le *Te Deum.* La troupe des jeunes gens et les corps constitués participent aussi aux vêpres. Le soir, Vieux-Mareuil est illuminé; des « lanternes vénitiennes (sont) disposées (dans les rues) par intervalles ». « Chaque maison, écrit le maire, avait une illumination particulière pour rivaliser avec le voisin. » A vingt heures : feu de peloton et feu d'artifice devant les habitants de la commune assemblés. Ensuite, débute le banquet de la garde nationale. La municipalité cependant a distribué des vivres aux indigents. Cette journée, ponctuée des cris de « Vive l'Empereur! », s'achève « au milieu des chants napoléoniens ».

Mais Vieux-Mareuil a l'apparence d'un petit bourg; on peut penser que le 15 août à Hautefaye [48] ressemble plutôt à celui que l'on célèbre, en 1865, dans la pauvre commune de Saint-Front-la-Rivière. « A Vêpres, écrit le maire, le conseil municipal, précédé du drapeau national, s'est rendu à l'église pour assister au chant du *Te Deum* »; puis une procession a parcouru les rues du village. A l'issue de cette cérémonie religieuse, le conseil municipal s'est réuni pour un « modeste banquet », ouvert à tous; des toasts sont venus clore ces « causeries amicales ». A vingt-deux heures, précise le maire, la commune a retrouvé « le silence le plus complet ».

III – *La licence du foirail et l'étalage des vantardises*

L'affaire de Hautefaye n'appartient pas à l'histoire d'une commune mais à celle d'une foire. Elle ne peut s'expliquer par les caractères anthropologiques du groupe installé sur le théâtre de l'action. Il serait de peu de profit de s'appesantir sur les structures de la parenté ou de la vicinité, de s'efforcer de détecter les tensions qui fracturent la communauté villageoise. Nous devons tout au plus considérer Hautefaye comme une modeste scène. La commune fournit certes quelques acteurs au drame, mais celui-ci ne sourd pas de ce dérisoire microcosme.

C'est *le rayon d'influence de la foire* qui délimite le territoire concerné par le massacre. A se fonder sur le domicile des vingt et un inculpés, ce rayon mesure une bonne vingtaine de kilomètres. Le territoire qu'il nous faut considérer couvre donc une superficie d'environ mille deux cent cinquante-six kilomètres carrés [49]. L'espace de la foire, qui est aussi celui du drame, transgresse les limites départementales; il englobe plusieurs cantons de la Charente et s'étend jusqu'à la limite de la Haute-Vienne.

A dire vrai, l'identité de ce territoire reste floue : les zones d'influence des diverses foires s'enchevêtrent en un dessin confus, tracé par le lacis de multiples et incessants déplacements. Le groupe formé par les individus qui participent à une même réunion marchande se révèle à la fois temporaire et mouvant; mais il profite de la précision et de la régularité de l'inscription calendaire. Les paysans qui fréquentent les foires d'une même région y retrouvent, périodiquement, des personnes connues, mais jamais dans le cadre du même groupe momentané. Dans la trame des relations qui se nouent sur le foirail, au café ou dans les auberges, le rôle de l'interconnaissance demeure donc limité; ce qui, nous le verrons, constitue une donnée indispensable à la compréhension du drame de Hautefaye. Le relatif anonymat des acteurs, la rareté des retrouvailles procurent une rare disponibilité, autorisent une liberté inaccoutumée dans l'accomplissement des rôles que l'on a décidé de tenir.

Dans la Dordogne, durant la monarchie censitaire, les foires prolifèrent [50]. En 1821, dans le seul arrondissement de Nontron, on en dénombre quatre-vingt-onze [51], réparties entre dix-huit communes et distribuées selon un système calendaire qui mériterait une étude approfondie [52]. A cette date, la commune de Hautefaye a le privilège de bénéficier de deux foires « accréditées », qui se tiennent le 16 août et le 22 décembre. Avec l'accord des maires du voisinage, la municipalité en réclame alors dix autres, afin de pouvoir tenir une foire le 17 de chaque mois. L'administration refuse cette extension.

La réunion marchande qui se déroule du 14 au 16 août [53], au cours d'un mois assez pauvre en rassemblements de ce type, remonte à une date lointaine. Elle fut concédée à Jacques Conan, le seigneur du lieu, en mai 1633, par lettres patentes du roi Louis XIII. Le choix de la date de l'Assomption, à lui seul, indique l'ancienneté de la fondation. En 1834, le conseil général vote la création de deux nouvelles foires : le 17 avril et le 6 octobre [54]. Chaque saison voit dès lors les paysans se rassembler sur le foirail de Hautefaye. Mais l'année suivante, l'administration, désireuse sans doute de limiter les déplacements et de réduire les pertes de temps, décide de supprimer les nouvelles autorisations. La commune proteste; l'un des députés de la Dordogne indique, à cette occasion, que les réunions se déroulent malgré l'interdiction et qu'elles « sont réellement utiles au commerce. C'est moins une création qu'une existence légale qu'on réclame ». Quoi qu'il en soit, à la fin du Second Empire, Hautefaye dispose bien de ses quatre foires annuelles [55].

Le foirail de cette commune se situe en rase campagne; pas de ville, pas de véritable bourg à proximité; il s'agit bien de « l'espace neutre, vide et rempli successivement [56] » qui définit la foire aux yeux des anthropologues. Seul ici existe le rassemblement périodique et matinal des éléments masculins de la société rurale. Les couches supérieures de la paysannerie, c'est-à-dire les petits et les moyens propriétaires [57], y côtoient les régisseurs et les métayers des notables; quelques artisans, des maréchaux-ferrants, des hongreurs, des charrons viennent offrir leurs services sur le foirail [58]. On y rencontre aussi des marchands de bestiaux professionnels et des colporteurs. A Hautefaye, le 16 août 1870, passé quatorze heures, on ne relève la présence d'aucun petit-bourgeois, à l'exception d'un notaire, attablé dans une auberge. Il faut dire qu'on parlera plus tard d'individus qui se seraient réfugiés dans une prudente fuite. Les nobles du Nontronnais, nous l'avons dit, ne dédaignent pas de se montrer sur le foirail et de s'entretenir avec les plus riches des marchands et des paysans. Toutefois, ils se font généralement accompagner de domestiques ou de métayers distingués pour leur savoir-faire.

A Nontron, la fête du comice est célébration de la société rurale dans ses hiérarchies, festoiement organisé, guidé, bridé, occasion de magnifier la commune visée de modernité du pouvoir et de l'élite [59]. Sur le foirail de Hautefaye, les paysans trouvent à prendre leur revanche. Ici règne l'entre-soi. Aucune nécessaire retenue, aucune fausse honte, aucune déférence composée ne viennent troubler l'accomplissement des rituels, l'échange des paroles et des biens, l'ostentation des opinions, l'expression de la dérision, l'étalage des vantardises.

La foire de Hautefaye ne met pas véritablement en contact la campagne et la ville; du moins ce contact est-il fortement médiatisé. Du 14 au 16 août, s'établit en outre une certaine confusion entre le foirail et le village. La foire investit tout l'espace d'un chef-lieu de commune dont la taille ne dépasse pas celle d'un hameau. Les maisons, les hangars se transforment, pendant ces quelques jours, en tumultueuses auberges improvisées [60]. Ce primat de la foire provoque un relatif effacement du féminin. Les paysannes, semble-t-il, ne viennent pas nombreuses à Hautefaye. Une poignée de filles et de femmes du village se trouvent perdues au milieu de centaines d'hommes assemblés sur le foirail. Fait révélateur à ce propos : jamais la commune n'a réussi à faire vivre de marché [61].

En 1870, ce type de réunion marchande constitue déjà un anachronisme [62]; en témoigne ici la difficulté ou plutôt les modalités anciennes de l'accès. Bien que la foire soit largement fréquentée par des paysans venus de la Charente, aucune route ne relie alors Hautefaye à ce département. Vendeurs et acheteurs accèdent au foirail par un réseau de sentiers, assez aisément praticables, dit-on.

Les foires, on le sait, affectionnent les marges, s'installent aux frontières, là où s'ordonnent les échanges et se manifeste la complémentarité des terroirs. Tel est bien le cas à Hautefaye. L'isolement en rase campagne, sur la ligne qui sépare deux départements et deux régions naturelles, accentue la visibilité de cette fonction. Il favorise en outre *le vide des autorités,* cette autre caractéristique de la foire. Le 16 août 1870, le fait se révèle décisif. Aucun gendarme ne visite Hautefaye ce jour-là et la garde nationale, rappelons-le, n'a pas encore été organisée dans la commune. Une si totale absence des agents de l'ordre constitue une anomalie. Les rapports d'activité de la gendarmerie le montrent à l'envi. En 1859, par exemple, celle de la Dordogne a effectué 16 572 visites d'auberges; elle a contrôlé le déroulement de 370 fêtes patronales; surtout, elle a surveillé la tenue de 2 724 foires et marchés [63]. On peut donc s'étonner de l'absence des gendarmes à Hautefaye, le 16 août 1870; sans doute faut-il voir là une manifestation de l'affaissement de l'autorité qui marque, dit-on, les derniers jours du régime.

Ce type de rassemblement paysan sur un foirail isolé au cœur de la campagne profonde tend à disparaître au cours du XIXe siècle [64]. Mais les paysans s'accrochent à ces réunions traditionnelles, à l'occasion desquelles ils peuvent goûter un certain plaisir d'être ensemble que ne saurait leur procurer la foire citadine. Pour eux, celle qui se déploie à la limite des terroirs constitue l'un de ces enjeux brûlants, générateurs, à l'occasion, du déchaînement de la violence.

L'Empire autoritaire a cherché, dans la Dordogne tout au moins, à rationaliser le système spatio-temporel des échanges et à favoriser la foire citadine, plus aisément contrôlable, mieux adaptée aux nouveaux circuits commerciaux. Il en vient donc assez vite à combattre la tenue des rassemblements illicites. En 1853, l'administration entre en lutte contre ces foires minuscules qui réunissent les paysans en un point de la frontière qui sépare les terroirs communaux. Au mois d'avril, les autorités, soutenues par les grands propriétaires, tentent d'interdire celles qui, selon la coutume, se tiennent au Port-Sainte-Foy, proche de la limite qui sépare la Dordogne de la Gironde. Le hameau où se déroule la réunion improvisée appartient aussi, pour partie, aux communes de Saint-Avit-du-Tizac et de la Rouquette. La municipalité de Sainte-Foy-la-Grande, le bourg le plus proche, déjà pourvue de quinze foires par an, se déclare, pour sa part, hostile à la tenue de ces manifestations coutumières, qui lui paraissent désormais gênantes. Sommés de se disperser, les paysans assemblés sur le foirail temporaire du Port-Sainte-Foy, « se sont retirés [...], mais pour se répandre dans quelques champs voisins où ils ont donné cours à leurs transactions [65] ».

Le mois suivant, les gendarmes barrent les chemins et tentent, cette fois, d'empêcher la tenue de la foire illicite. Mais vers quatorze heures, « des groupes assez nombreux de bestiaux, conducteurs en tête, se jettent à travers champs et veulent s'établir sur un terrain nouvellement labouré; sans doute indiqué d'avance [66] ». La gendarmerie dresse des procès-verbaux. Il s'agit d'une redoutable « résistance passive », souligne le sous-préfet de Bergerac; d'autant plus inquiétante que des réunions de même type se tiennent, sans autorisation, à Vélines, à Saint-Méard-de-Gurçon, au Fleix. Le ministère de l'Intérieur constate que ces rassemblements participent de la coutume. Puisque les paysans disent ne pas vouloir s'en passer et se montrent résolus à résister, serait-ce par la force, il en vient à conseiller la conciliation [67]. Le préfet décide donc d'adopter une attitude tolérante.

A Hautefaye, le 16 août, se tient une *foire aux bestiaux*. On se rend sur le foirail pour vendre, mais aussi pour montrer, exposer le produit de son travail et de son savoir-faire. On y vient seul, revêtu de la blouse paysanne; à moins que l'on ait décidé de mettre son vêtement « de petite sortie ». Le paysan tient dans sa main droite le bâton ou l'aiguillon. C'est que le foirail est aussi un lieu d'intense visibilité des symboles. Les rituels marchands et ceux qui ordonnent le maniement du corps de l'animal s'y déploient avec ostentation. Il conviendra de s'en souvenir quand le temps sera venu d'analyser les gestes du massacre. L'aiguillon permet ici, non pas de guider, mais de « toucher » la bête. On lui pique les flancs, on la chatouille sous les cuisses; avec la main, on lui soulève les paupières, on lui ouvre la bouche pour exhiber les dents [68].

« Derrière un spectacle grouillant et apparemment anarchique [69] », la foire cache un « ordre complexe ». L'horaire est soigneusement réglé. Le matin, on expose. Pour ce faire, le paysan a choisi, sur le foirail, un emplacement susceptible de mettre en valeur la croupe de la bête qu'il vient vendre. Des heures durant, il ruse, il marchande. C'est alors le lieu et le temps des *bourrades,* des insultes; pas encore celui des plaisanteries. Les jeunes apprennent sur le foirail à montrer et à estimer le bétail; ils y découvrent les rituels de la masculinité. La foire fournit à l'éleveur l'occasion d'exhiber ses qualités personnelles; elle est moment du défi et de la vantardise, face à une assistance nombreuse et compétente. Alors se jouent l'honneur et le prestige [70]. C'est à la foire surtout qu'il convient de se montrer perspicace et malin; de faire preuve de discernement, de prouver la qualité de son coup d'œil.

L'après-midi, le symbolique s'efface, tandis que s'inaugure le champ festif. Saturé d'animalité, le paysan quitte le foirail, ses odeurs et ses bruits, le bourdonnement de ses insectes, pour s'attabler dans une auberge. C'est alors qu'arrivent les badauds. Le 16 août 1870, Alain de Monéys survient à quatorze heures, c'est-à-dire tardivement, pour acheter, dit-on, une génisse destinée à une famille d'indigents. La foire, à cette heure, est devenue temps de la permissivité, voire de la licence [71]; c'est bien ce qui suscite la colère des notables [72]. A l'inquiétude du marchandage, succède la détente et, peu à peu, se faufile la tentation de l'excès. Le foirail vespéral autorise, mieux que la rue, le déploiement et l'ostentation de la violence collective [73].

Tout d'abord, on vient boire; et l'on peut supposer qu'en cet après-midi du 16 août 1870, la chaleur assèche les gosiers [74]. En ces lieux fermés ou plutôt fortement spécialisés que constituent les auberges et les cafés improvisés du hameau de Hautefaye, on vient aussi conclure les transactions. Le moment est arrivé de dévoiler les éventuelles ruses, de révéler les défauts cachés de l'animal vendu, et d'en rire. Au sérieux théâtre du foirail, succède la goguenardise. Il est, en revanche, interdit de jouer. Depuis 1859, un arrêté du préfet de la Dordogne prohibe les jeux de hasard, et même les innocentes cartes, à l'intérieur des cafés et des cabarets de foire [75]; reste à savoir si, en l'absence de tout gendarme, cette interdiction pouvait être respectée.

A l'auberge, une fois les affaires conclues, on peut parler interminablement. Les après-midi de foire, on ne compte plus son temps. Le rythme lent du supplice d'Alain de Monéys s'accorde à cette gestion désinvolte des heures. Cessant de produire, le paysan est ici venu pour converser entre gens unis par la pratique d'une même langue technique; cette société temporaire dilate l'espace des échanges verbaux; elle distrait de l'interconnaissance, quelque peu oppressante, qui règne au sein de la communauté villageoise. Alors se transmettent et se commentent les informations qui débordent le cadre du voisinage. L'auberge devient temple de la rumeur et de *la politique*. L'éloignement de la ville, la vacance de l'autorité la constituent en lieu antithétique du forum [76]. Le hameau de Hautefaye, le 16 août 1870, se fait symétrique de la place principale de Nontron, près de laquelle palabrent les petits bourgeois, réunis au café italien.

Bien des sujets d'anxiété, voire d'angoisse, s'offrent, ce jour-là, aux paysans assemblés dans les cabarets de Hautefaye; et tout d'abord la sécheresse [77]. En 1868 déjà, celle-ci avait effectué ses ravages, surtout aux dépens des agriculteurs. En août 1870, le fléau sévit depuis bientôt six mois et frappe, cette fois, particulièrement les éleveurs. Les paysans s'en plaignaient déjà amèrement au cours du mois de juin, lors des fenaisons. Depuis longtemps, « les fontaines, les puits et les mares sont à peu près taris [78] ». De mémoire d'homme, l'Isle n'a jamais été aussi basse à Périgueux. A la mi-août, la situation est devenue terrible. « Partout, écrit le procureur général, les fourrages manquent et le prix du foin a plus que doublé. De là, pour les cultivateurs, difficulté extrême de nourrir et d'entretenir les bestiaux; de là aussi, des ventes nombreuses [79]... » et une baisse des cours du bétail sur pied. Pire, le volume des abattages a tari la demande et les paysans ne trouvent plus de marchands prêts à les défaire de leurs animaux.

Dans les auberges de Hautefaye, on commente les nouvelles inquiétantes de la guerre. Léonard, dit Piarrouty, le « peillaro » (chiffonnier) de Nontronneau, vient d'apprendre que son fils, « cochon vendu » par un agent de la maison Pons, est probablement, à cette heure, « en mille morceaux » [80]. Pas étonnant que, ce jour-là, il cherche à le venger en traitant le corps du « Prussien », comme il sait le faire de celui de l'animal. A Hautefaye, depuis deux jours, les rumeurs vont bon train qui dénoncent la responsabilité des nobles, des curés, des républicains et qui disent l'inquiétude suscitée par le sort de l'empereur et par l'avenir menacé de la dynastie.

Le supplice de Hautefaye s'intègre à la foire. On ne peut en comprendre le déroulement sans tenir compte des caractères de celle qui se tient au hameau. Le massacre du jeune homme s'accomplit en un temps de licence, accentué par le vide des autorités et par un vague sentiment de vacance du pouvoir central. Le drame se déroule l'après-midi, temps de l'excès, de la boisson, de la parole libérée et, ce jour-là, tout angoissée; moment privilégié du défi et de l'ostentation de soi, dans l'affaissement des normes imposées au village par la rigidité de l'interconnaissance. Dans ce climat d'inquiétude, monte le désir implicite de sceller et de célébrer la cohésion de ce rassemblement momentané par la participation commune à une action d'éclat qui dise l'unanimité des sentiments et la profondeur de l'accord politique.

La scénographie du drame se calque sur le rythme même de la foire, « accumulation d'actions enchevêtrées et rapides, d'acteurs innombrables et variés [81] ». Si l'on admet que ce type de réunion marchande constitue le « lieu par excellence où se (lit) l'insertion organique de la société paysanne dans la société englobante qui la domine [82] », il est loisible d'interpréter le supplice de Hautefaye comme le signe de l'intensité du conflit qui, le 16 août 1870, oppose les paysans du Nontronnais à toutes les forces qui les surplombent.

IV – *La scène vide*

Le massacre n'est donc pas l'œuvre des habitants de Hautefaye, comme on le répète dans les manuels. Reste qu'il s'est déroulé sur le territoire de cette commune et qu'il convient de la présenter. Elle constitue un fragment de ce Nontronnais qui semble un morceau des plateaux du bas-Limousin, rattaché par inadvertance au Périgord. Formée de molles collines couvertes de bois et de prairies, cette partie de la Châtaigneraie souffre, en 1870 déjà, comme le Limousin [83] tout proche, de l'image noire qu'en ont dessinée les notables; pauvreté, rudesse, arriération en constituent les stéréotypes majeurs. Ce pays du lait et de la châtaigne, où se consomme peu de froment, où se pratique encore la « glandée », est habité de paysans dont le corps, selon le marquis de Mallet, se couvre « comme d'une sorte d'écaille » [84].

Il faut dire que les indices utilisés le plus communément par les historiens confortent la dépréciation. Le peu d'élévation des statures, la médiocrité de l'état sanitaire des conscrits, le retard de l'alphabétisation caractérisent les populations du nord de la Dordogne, comme celles du sud de la Haute-Vienne [85]. Bientôt, le célèbre professeur Paul Broca et son élève Collignon vont faire de ces régions le cœur de la « tache noire » qu'ils détectent au centre de la carte anthropologique de la France [86], en attendant qu'Edmond Demolins ne théorise les effets retardateurs de la châtaigne sur « l'expansion de la race » [87].

Le Nontronnais s'apparente au Limousin que nous avons naguère qualifié de sédentaire. Il ignore la pratique de ces migrations temporaires qui profitent aux plateaux de la Marche comme à « la montagne » creusoise et corrézienne. Le sinistre glandier de Marie Cappelle [88] n'est pas très éloigné de Hautefaye; il se tasse dans un paysage similaire. L'affaire Lafarge, qui passionna la France de la monarchie de Juillet et celle de Hautefaye qui ensanglante la fin du Second Empire se déroulent dans un même cadre. Aujourd'hui encore, le voyageur qui vient de Châlus et qui passe sous la hauteur de Nontron, avant d'atteindre la petite bourgade, ressent l'impression d'isolement que produit cette traversée par les routes sinueuses et désertes de la châtaigneraie. Ce n'est qu'arrivé sur le promontoire de Hautefaye que la brutale révélation des amples horizons de la Charente interrompt cette insinuante sensation. Alors s'impose à lui la situation de contact qui est celle du hameau; installé face au vent d'ouest, au sommet du talus, il éprouve fortement la frontière qui sépare les deux départements.

Mais il est une autre limite, invisible celle-là, qui traverse alors Hautefaye : celle qui sépare le canton de Nontron, pays de petite propriété et de métayage, dominé par la bourgeoisie voltairienne de la sous-préfecture et la « petite Vendée » de Beaussac et de Mareuil, soumise à l'emprise d'une aristocratie de grands propriétaires, souvent légitimistes. La répartition de la propriété à l'intérieur de la commune reflète cette dualité des structures sociales.

Lors de la confection du cadastre, la famille de Monéys possédait 166 hectares, dont 80 situés sur le territoire de Hautefaye [89]; elle s'y trouvait alors confrontée à une poignée de paysans propriétaires.

En 1870, le centre du village compte quinze ou dix-sept maisons [90] et quarante-cinq habitants. Il n'a pas été profondément transformé depuis; le déplacement du foirail à la fin des années 1870 [91], la transformation d'un jardin particulier en une petite place, l'édification d'une modeste mairie, toute neuve, résument à peu près le changement; et le visiteur d'aujourd'hui peut aisément imaginer le théâtre du drame, à condition de faire abstraction des hautes herbes qui poussent au printemps dans certaines des venelles empruntées jadis par le malheureux Alain de Monéys. Pour le reste, rien n'a changé : la minuscule église, la poignée de maisons qui l'enserrent, le dédale des sentes. Le centre de Hautefaye a conservé l'apparence d'un hameau.

Le terroir du village et ceux des communes voisines s'enchevêtrent. La complication de la structure se trouve accentuée par la limite qui sépare la Dordogne de la Charente. Ainsi, le hameau de Ferdinas, où s'est déroulée en 1841 une affaire de fratricide [92], appartient alors pour partie à Mainzac (Charente) et pour partie à Hautefaye (Dordogne). Du fait de cet enchevêtrement, ceux que l'on considère comme des « étrangers » sont nombreux dans les écarts. Au bourg – pour autant que le centre de la commune mérite cette appellation –, on connaît mal ces nouveaux venus. Le jeune Villard, étudiant en droit originaire de Hautefaye, écrit au sous-préfet le 9 octobre 1870, que des trois habitants compromis dans l'affaire, un seul, âgé de seize ou dix-huit ans, est né dans la commune; « les autres, venus je ne sais d'où, habitent depuis peu deux villages, où nous possédons, dans l'un cinq maisons, et dans l'autre une seule, celle du coupable; le reste appartient aux communes voisines [93] ».

Au siècle dernier, Hautefaye était plus peuplé qu'aujourd'hui. La commune comptait 388 habitants en 1804, 468 en 1851, 445 en 1861, 409 en 1872 [94]. Le drame se déroule au moment où le volume de la population commence de s'affaisser, après la nette croissance de la première moitié du XIXe siècle. En vingt et un ans, le nombre des habitants a décru de 12 %; cela dit, on ne saurait encore parler de dépopulation.

Un groupe de « paysans » propriétaires dominent la commune. Il n'est pas d'autres notables à Hautefaye; et donc pas de ces haines enracinées par les antagonismes de classe au sein de la société villageoise; à moins que l'on ne prenne en compte ces minuscules clivages qui fragmentent toute communauté rurale, fût-ce en apparence la plus homogène. Aucun grand propriétaire rentier donc, pas de membres des professions libérales, pas d'officier ministériel, pas d'autres fonctionnaires que l'instituteur, les cantonniers et le facteur; encore Pierre Villard qui remplit cette dernière fonction se déclare-t-il « propriétaire-agriculteur ». Le maire, Bernard Mathieu, est le maréchal-ferrant; les membres de son conseil, des cultivateurs ou des artisans pluriactifs. François Villard se dit mécanicien, Élie Mondout, aubergiste, buraliste et menuisier [95]. Le revenu de la fortune des membres du Conseil, tel qu'il est estimé à la préfecture, se situe entre cinq cents et trois mille francs; la médiane est de huit cents francs [96]. Il ne faudrait pas croire pour autant que les élections municipales se déroulent sans histoires à Hautefaye. Bernard Mathieu, lors du procès, deviendra rouge de colère, rien qu'à l'évocation des luttes qui se sont déchaînées à l'occasion des dernières consultations [97].

On pourrait penser que le conflit est ailleurs; qu'il oppose cette république paysanne aux hôtes du château de Bretanges, qui possèdent, nous l'avons vu, une petite partie de la commune. Curieusement, au procès, personne n'en parle; comme si la générosité des Monéys avait réussi à désamorcer l'hostilité. Pas de notables donc mais, à l'autre extrémité de la chaîne des positions, peu d'indigents à Hautefaye se livrent à la mendicité; à en croire les curés de la paroisse, on en compte au plus sept ou huit durant le Second Empire [98].

Le niveau d'instruction est déplorable, mais ne présente rien d'exceptionnel dans la région. En 1837, la moitié des conseillers municipaux savent écrire leur nom. Sur le groupe formé par les neuf citoyens les plus imposés, deux seulement sont alors capables d'un tel exploit [99]. L'école primaire date de 1847 [100]; elle a été fondée quatorze ans après le vote de la loi Guizot. En 1852, alors que la commune compte quatre cent soixante-huit habitants, neuf garçons – encore ne sont-ils que sept en été – fréquentent cette école, d'ailleurs tenue par un instituteur de bien faible talent [101]. En 1869, sur une population de quatre cent quarante-cinq habitants, vingt garçons et seize filles reçoivent un enseignement; dix garçons et treize filles en âge d'être scolarisés demeurent complètement privés d'instruction. A dire vrai, la situation est plutôt meilleure que dans le reste du canton, qui compte alors 957 écoliers et 1 178 enfants non scolarisés [102]. On comprend la médiocrité des résultats. Sur les 152 jeunes gens de la classe 1869 appelés à tirer au sort dans le canton de Nontron, 55, soit 36 % seulement, déclarent savoir lire et écrire [103].

Aussi mauvaise que paraisse alors la situation, force est de constater que l'instruction a largement progressé sous le Second Empire; et la commune de Hautefaye, nous l'avons vu, a déjà produit un étudiant en droit, fils d'une famille régulièrement représentée au conseil municipal. Cela dit, à l'évêque qui l'interroge en 1892 sur les lectures de ses fidèles, le curé se contentera de répondre : « A Hautefaye, on ne lit pas [104]. »

Nonobstant la faiblesse de la pratique religieuse [105], les habitants de la commune souhaitent ardemment que leur curé réside au milieu d'eux. En 1848, le conseil municipal décide un modeste chantage : la jouissance de l'enclos du presbytère et le produit du trèfle de la cure seront retirés au desservant, tant que celui-ci ne s'installera pas à Hautefaye. En 1866, le conseil décide de réparer le presbytère et l'église afin que l'autorité accepte de nommer un prêtre à demeure; ce qui est fait l'année suivante [106]. Lors du massacre, le « curé » [107] ne réside donc que depuis trois ans, délai trop bref pour que les haines éventuelles aient eu le temps de rancir.

La lecture du registre des délibérations municipales atteste l'existence d'une action édilitaire [108]. Le conseil se préoccupe en permanence des chemins; en 1870, il réclame une liaison routière avec le département de la Charente. En 1847, nous l'avons vu, il décide de recourir aux services d'un instituteur. En 1850, il demande que la poste devienne quotidienne. La création d'un nouveau cimetière constitue la grande affaire des premières années de l'Empire. L'ancien, installé en plein cœur du bourg, dégage des mauvaises odeurs; le nouveau, situé loin des habitations, sera enclos de murs. En 1868 enfin, le conseil décide la formation d'un bureau de charité. Mais Hautefaye ne possède pas de mairie. Le Conseil tient séance chez Bernard Mathieu, le maréchal-ferrant. Après la destitution de celui-ci, il se réunira chez l'instituteur. Plus important pour ce qui nous concerne : en 1870, la commune ne dispose toujours pas des services d'un garde champêtre. A dire vrai, ce qui intéresse par-dessus tout les édiles de Hautefaye, ce qui fait leur fierté et ce qui, bientôt, les marquera d'infamie, c'est la tenue des célèbres foires et l'établissement du droit fixe que la commune prélève à cette occasion.

Nous savons les sentiments politiques des habitants de Hautefaye; en décembre 1851, la totalité de ceux qui participent au scrutin approuvent le coup d'État; unanimité encore lors du plébiscite de 1852. Le 8 mai 1870, les cent dix-sept votants de la commune se prononcent pour le « oui »; onze électeurs seulement se sont abstenus; l'empereur obtient donc les suffrages de 92 % des inscrits [109].

Hautefaye demeura durant près d'un siècle le symbole de la sauvagerie; cependant, l'on ne discerne pas de traces d'une violence exceptionnelle dans les archives des tribunaux. En 1841, nous l'avons vu, une tentative de fratricide se produit sur le territoire de l'un des hameaux de la commune. En 1864, le commissaire cantonal constate un vol de sept cent cinquante francs, commis par effraction [110]. En novembre 1870, une fillette sera violée [111]. Rien d'exceptionnel en cela pour qui connaît l'intensité de la violence sexuelle qui se déploie dans les campagnes de la IIIe République [112].

On aura déjà conclu, au vu du caractère minuscule des préoccupations, que la commune de Hautefaye ne saurait – et ne saura – porter la responsabilité de l'horreur dont elle fut le théâtre. Elle n'est pas détentrice du sens du massacre. Cela dit, l'histoire municipale fournit quelques-uns des ingrédients que nous nous efforçons de détecter : le retard de l'organisation de la garde nationale, l'absence de garde champêtre, celle de petits notables capables de calmer les esprits, ou d'hommes cultivés susceptibles d'appeler à plus d'humanité. Au déchaînement de la violence paysanne, Hautefaye ne peut opposer d'autre digue que l'autorité de son maire; or, celle-ci sera défaillante.

Cette exceptionnelle vacuité va permettre à des cris de haine, somme toute habituels, d'introduire des gestes sanglants. Le caractère exceptionnel de l'événement résulte moins des modalités de son déclenchement que de la liberté laissée à son déploiement. L'effacement de l'autorité permet la tranquille exécution d'un projet meurtrier que les paysans du Nontronnais clament bien souvent mais qu'ils se voient toujours empêchés de réaliser [113].

La scène du drame est dessinée, le décor planté, le prologue achevé. La victime s'avance. Il est quatorze heures, le 16 août 1870; à Hautefaye, la foire bat son plein.

CHAPITRE III

LA LIESSE DU MASSACRE

I – *L'équation victimaire*

Depuis quelques années, Alain de Monéys gère le domaine familial; ce qui explique sa venue sur le foirail, ce jour-là. Il réside au château de Bretanges, situé sur une éminence, à mi-distance des bourgs de Hautefaye et de Beaussac. Ce célibataire de trente-deux ans n'a pas belle apparence. Il est chétif et victime d'une calvitie précoce; le conseil de révision l'a naguère exempté pour « faiblesse de constitution ». Dans la région, on le dit avenant et généreux; il est vrai que les circonstances tragiques de sa mort ne pouvaient qu'inciter à le peindre sous des couleurs favorables.

Son père [1], descendant d'une lignée qui compte des officiers de marine, se passionne, dit-on, pour l'océanographie et pour les récits de voyages lointains. Cet amateur de littérature d'évasion s'intéresse aussi à l'agronomie; il a fait défricher une partie de son domaine pour y planter de la vigne. Son fils Alain, à son tour, entend moderniser;

il vient d'échafauder un projet de drainage; il rêve d'aménager le bassin de la Nizonne.

Entre 1848 et 1853, Monsieur Amédée de Monéys a rempli les fonctions de maire de Beaussac; puis il a cédé la place, par lassitude, semble-t-il. Son fils, entré au conseil municipal en 1865, a été nommé premier adjoint de la commune [2]. Les membres de la famille de Monéys ne proclament pas leurs sentiments politiques, à la différence de leur cousin Camille de Maillard, jeune homme de vingt-six ans, qui parle haut et se pose en chef des légitimistes de la « petite Vendée ». Malgré cette discrétion, il paraît vraisemblable que les Monéys d'Ordières ne se sont ralliés que du bout des lèvres; on dit [3] que trois fois par an, ils réunissent à Bretanges une poignée de ces nobles légitimistes du Périgord dont le châtelain de Hautefort, le nouveau baron de Damas, constitue désormais le chef de file. Rien toutefois, à la lecture des documents, ne permet de suspecter la sincérité d'Alain de Monéys lorsque celui-ci clame, deux heures durant, son attachement à l'empereur et à la dynastie [4]. Quoi qu'il en soit, peu de temps avant le drame, il a fait lever son exemption; il a même décidé de s'engager. Éclatant témoignage de cette éphémère union sacrée qui marque le début du conflit.

A en croire le métayer François Mazière, dit Sillou [5], Camille de Maillard aurait tenu de scandaleux propos, le 9 août, sur la place publique de Charras, un jour de foire. « L'Empereur est perdu, aurait-il déclaré, péremptoire, après la lecture du journal, il n'a plus de cartouches [6]. » Cette analyse lucide mais pessimiste de la situation militaire provoque l'indignation. « Si nous avions été en nombre ce jour-là, déclare Mazière à sa propriétaire, le soir du 16 août, nous lui aurions fait son affaire; mais nous n'étions là que quatre ou cinq; aujourd'hui nous étions plus de quatre-vingts [...] notre seul regret est de n'avoir pas tué celui qui nous a échappé (c'est-à-dire Camille de Maillard) [7]. » Témoignage intéressant qui suggère la préméditation et qui tend à faire d'Alain de Monéys une victime substitutive.

Interrogé sur cette affaire, le 16 août, peu avant quatorze heures, alors qu'il se tient sur le foirail de Hautefaye en compagnie de quelques métayers, Monsieur de Maillard, toujours avec la même lucidité, perçoit vite le danger et s'enfuit à toutes jambes. La légèreté de ses bottines humilie les sabots paysans. L'échec du projet meurtrier impose le désir de transférer la haine sur une autre victime. C'est alors, nous l'avons vu, que survient Alain de Monéys. Parvenu à proximité du village, il s'attire maladroitement la colère des paysans en refusant d'admettre que son cousin ait pu crier : « Vive la République! »

Le transfert de l'hostilité s'opère d'autant plus aisément que les paysans assemblés connaissent mal les autorités de la commune et, plus mal encore, les notables du voisinage. Ce qui, d'autre part, fragilise la thèse de la préméditation. Le maire, Bernard Mathieu, rapportera lors du procès les menaces d'un émeutier : « On vous reconnaît à votre sangle – désignant ma ceinture – allez-vous-en ou on vous en fera autant. » Réflexion qui indique que la foule ne pouvait reconnaître le personnage autrement qu'à son écharpe.

Au dire de son avocat, Chambort, le maréchal du hameau charentais de Pouvrière, qui s'impose vite comme le chef du rassemblement meurtrier, ne connaissait ni les accusés ni la victime. L'ensemble des assassins, affirment les avocats sans être jamais contredits, « ne se connaissaient pas les uns les autres. Ils ne connaissaient pas davantage l'infortuné Monsieur de Monéys. L'accident seul les a groupés et en a fait des meurtriers ». Rien de tout cela ne nous étonne, connaissant les conditions dans lesquelles se déroule la foire de Hautefaye.

Plus surprenant se révèle à première vue le refus d'accepter l'identité réelle de la victime. Plusieurs de ses amis ne cesseront de la clamer tout au long du supplice. La foule ne veut pas les entendre; ce n'est pas à un noble, grand propriétaire, que s'en prend explicitement le plus grand nombre, mais à un « Prussien » qui a crié « Vive la République! ».

Dans l'affaire de Hautefaye, tout ce qui ressortit à la vicinité, à la cohésion de la communauté villageoise se trouve occulté. Alain de Monéys est un voisin, c'est un homme du pays; il appartient à une famille qui possède quatre-vingts hectares de terres à Hautefaye. Il réside à trois kilomètres; or, les paysans du foirail refusent, sinon de le considérer, du moins de le désigner comme tel. L'éventuelle haine née des antagonismes et des tensions de la société rurale n'entre pas en ligne de compte, du moins explicitement. Les modalités de l'affrontement disqualifient ce qui relève du territorial.

Chambort, le meneur, perçoit la faiblesse de l'interconnaissance et l'absence de solidarité géographique. A peine conscient de ce double vide, il s'y engouffre et usurpe sans vergogne les fonctions municipales délaissées, ou du moins qui se font fort discrètes. Écoutons la lecture de l'acte d'accusation : « Georges Mathieu (l'un des défenseurs d'Alain de Monéys) lui dit (à Chambort) en vain : mais, malheureux, *c'est ton voisin.* – Il n'est pas plus mon voisin qu'un autre [...], c'est un ennemi, qu'il faut faire souffrir et périr [...]. Il (Chambort) se donnait pour membre du conseil municipal d'Hautefaye ou de Beaussac, et tels étaient les airs d'autorité qu'il prit, qu'on le crut, il le reconnaît lui-même, l'adjoint d'Hautefaye. »

En fait, nous le reverrons, le massacre répond à un tout autre projet qu'à celui de régler les comptes au sein de la communauté territoriale. On retrouve toutefois, à ce niveau, l'injonction d'unanimité qui, naguère, ordonnait les comportements au village, lors de l'affaire des quarante-cinq centimes. En 1928, le président Simonet enquête a posteriori sur le meurtre de Hautefaye; il interroge les survivants. L'un de ses correspondants lui écrit : « Chacun, dans l'esprit de ces forcenés, devait avoir sa part dans le supplice de la victime. Celui qui venait de frapper se retirait pour faire place à un autre qui, son coup donné, s'effaçait et était aussitôt remplacé [8]. » Pascal Tamisier, l'un de ses défenseurs, estime pour sa part que plus de deux cents personnes ont frappé Alain de Monéys. On trouve aussi le même type de défi qu'en 1848. Jean Peltout a entendu Manem, qui ne figure pas parmi les accusés, clamer le lendemain du massacre : « Ceux qui voudront soutenir Monsieur de Monéys auront affaire à moi. Qu'ils soient Messieurs ou paysans – on notera la représentation de la société –, leurs guenilles resteront sur le champ ou bien les miennes. »

Par sa fuite réussie, Camille de Maillard, à sa manière, a, lui aussi, défié les paysans réunis sur le foirail; et son défi demeure, pour l'heure, sans réponse. La foule s'empresse donc d'oublier l'initiateur du drame pour répandre le bruit qu'Alain de Monéys a bien crié : « Vive la République! » et pour assurer qu'elle tient, cette fois, un véritable « Prussien ». On n'accuse pas la victime d'avoir clamé : « Vive Henri V! », ce qui serait logique, mais réducteur. La formule : « Vive la République! » autorise mieux le rassemblement des figures de l'hostilité; elle dessine ainsi l'équation victimaire :

Alain de Monéys = un noble + un républicain = un « Prussien ».

Alors, pleuvent les premiers coups. Le curé, assez vite, intervient avec courage. Il saute le mur de son jardin, un revolver à la main, et tente de dégager le malheureux jeune homme. Comme les quelques bonnes âmes qui l'entourent, il comprend vite que la logique du massacre implique de le faire entrer dans l'équation précédente. De fait, à plusieurs reprises, la foule proposera l'addition des supplices. Anna Juge, femme Antony, arrivée vers quatorze heures trente a entendu Dupin – mais peut-être est-ce un peu plus tard – dire : « nous avons tué celui-là – ce qui n'est pas encore effectif –; allons chez le curé. Ces coquins nous allons *les faire brûler et les mettre en croix.* Il n'y eut, dans la foule, qu'une parole pour applaudir ». Autour du bûcher, quelque temps plus tard, le jeune Antonin Antony entend les paysans crier : « Il faut mettre le curé en croix sur Monsieur de Monéys [9], et puis les brûler tous deux. »

Le desservant se réfugie donc dans son presbytère. Monsieur Saint-Pasteur est encore un jeune homme [10]. Né dans le diocèse de Tarbes, ordonné prêtre à Périgueux en 1864, il a successivement rempli les fonctions de vicaire à Payzac et de curé à Savignac-Lédrier, avant de s'installer à Hautefaye, le 15 mai 1867. Il connaît donc bien les paysans périgourdins, d'ailleurs, il va le prouver.

Ainsi commence le chemin de croix que va, deux heures durant, suivre le jeune Alain de Monéys. Grâce au plan dessiné après coup par l'agent voyer [11], il est possible de repérer, avec la plus grande précision, l'itinéraire du cortège qui escorte et pousse tout à la fois la victime et de situer les stations qui retardent l'échéance tragique. Le supplice se déroule sur un rythme lent, discontinu. Des temps d'arrêt, et sans doute d'espoir, viennent momentanément interrompre les gestes de la mise à mort. Tout se passe comme si les assaillants relâchaient par intermittence leur pression laissant à la poignée de défenseurs le temps d'entreprendre, afin de mieux jouir par la suite de l'anéantissement des espérances.

La composition du cortège sanglant se modifie sans cesse. Aux stations de la victime, correspondent celles des massacreurs. Ceux-ci, par instants, se dispersent; les uns se dirigent vers le presbytère afin de profiter de la distribution gratuite de vin bouché; d'autres se rendent à l'auberge, raconter leurs exploits; d'autres, sans doute, reprennent leurs transactions. Les acteurs principaux, eux-mêmes, délaissent de temps à autre le centre du drame pour apparaître sur les scènes annexes.

De ce fait, tous les assaillants n'ont pas une vision claire de l'événement. Certains peuvent, tout au plus, en saisir quelques séquences. Beaucoup semblent suivre un temps l'action, puis en délaisser le spectacle. Les témoins voient passer des individus qui déambulent avec leurs instruments sanglants. Laurent Pougny, un charbonnier de vingt ans, a croisé Buisson au milieu du bourg, un pieu à la main; il a vu Léonard Piarrouty venir laver à l'auberge son crochet ensanglanté. Le massacre, ne l'oublions pas, s'inscrit dans la trame des comportements de la foire. Le drame a duré deux heures, sans jamais drainer la totalité de la foule.

Pour certains, le supplice se réduit à un écho. Il en est ainsi qui suivent de bout en bout l'événement, confortablement attablés. « Les auberges regorgeaient de monde », cet après-midi-là, note le président Brochon. Les plus actifs des meurtriers savent donc qu'ils disposent d'un large auditoire, capable d'estimer leurs exploits.

Le témoignage de Jean Feytou aide à comprendre la manière dont s'effectue la saisie de l'action, dans le va-et-vient des informations et des rumeurs. Le jeune homme n'assiste en fait qu'à quelques séquences. Il regarde la foule porter ses premiers coups; quelque temps plus tard, il voit Léonard Piarrouty assommer Alain de Monéys de son terrible crochet; il se rend chez le curé; il se fait raconter les épisodes qu'il a manqués. Lui-même se pose en badaud : « il allait voir », dira-t-il. Attitude spectatoriale, certes revendiquée par tactique lors du procès, mais qui semble, en fait, avoir été largement répandue; ce qui ne manque pas d'indigner le président Brochon.

La plus importante des séquences annexes se déroule au presbytère, dont la cour, nous dit-on, est vite remplie de monde. Selon l'acte d'accusation, une cinquantaine d'individus y sont massés; cela vers les quinze heures, à mi-supplice, pourrait-on dire; lorsque Chambort, délaissant un temps Alain de Monéys, vient au presbytère « porter la parole » du groupe des massacreurs. Pour le curé, l'affaire est chaude. La femme Antony a vu alors Pierre Buisson, dit Arnaud, dit Lirou, « prenant son pieu par le petit bout », qui était tout ensanglanté, et disant : « Attends, coquin, il donne à boire; je l'étendrai du premier coup. »

Le curé Saint-Pasteur s'en tire avec talent. Contrairement à la victime qui en viendra à proposer une barrique à ceux qui le supplicient, l'abbé a fait monter de sa cave *du vin bouché* et il a distribué des verres. Il débouche les bouteilles et sert lui-même tous ceux qui se présentent, même le petit Pierre Brut, dit Pierrette, qui vient le « trouver, lui disant : je veux boire ». Ici, par conséquent, la foule ne s'empare pas du vin; elle ne se passe pas les flacons; elle ne boit pas à la bouteille; *elle trinque* avec le curé qui pense à casser l'élan des menaces par ce rituel de cordialité [12]. « Tous les gens avaient le bâton levé; mais ils ne commirent là aucune violence. » L'abbé Saint-Pasteur honore ses hôtes; il les traite en messieurs, eux qui n'ont l'habitude ni de ce vin bouché ni de ces manières déférentes. Il porte des toasts à l'Empereur, comme le demande la foule; mieux, il insiste pour que les buveurs crient aussi : « Vive l'Impératrice! » et « Vive le Prince impérial! ». En bref, il en remet [13]. Le toast désarme mieux que les vivats désespérés poussés, en tête du cortège sanglant, par le malheureux Alain de Monéys; car, durant deux heures, nous n'y reviendrons pas, celui-ci ne cesse de crier : « Vive l'Empereur! », dans l'espoir de calmer la colère de ceux qui, lentement, le tuent.

Autres scènes annexes : les cafés et les auberges. Là sont attablés tous ceux qui ont décidé de s'abstenir, et de laisser faire. Les quelques partisans de la victime ne réussissent pas à mobiliser cet effectif considérable qui se refuse à prendre la défense d'Alain de Monéys. Dans l'une de ces auberges, un notaire armé d'un fusil, sollicité par les acteurs du drame, refuse de se joindre à eux; mais personne ne le suit lorsqu'il propose aux buveurs de se grouper pour sauver le malheureux jeune homme.

II – *Le calcul de la souffrance*

Au centre du hameau, le supplice suit son cours, fragmenté en plusieurs séquences. La première conduit Alain de Monéys du pré où il est imprudemment venu constater qu'un groupe de paysans a bien entendu Camille de Maillard crier « Vive la République! », jusqu'au pied du cerisier aux branches duquel la foule a un instant projeté de le pendre. Sur le trajet, le noble est criblé de coups. Les terribles frères Campot, deux jeunes gens de vingt et vingt-deux ans, déjà connus pour leur méchanceté, ont donné le signal de l'avalanche. Dans un premier temps, la foule entend remettre *le coupable* aux autorités et décide de le conduire chez le maire; mais l'atonie de ce dernier permet vite de faire passer à l'arrière-plan ce raisonnable projet. Le cortège « dépasse la mairie » pour se porter au pied d'un cerisier, arbre dont, on le sait, les branches sont cassantes. Le projet de pendaison résulte donc d'un dérapage initial; jamais l'autorité municipale ne réussira à retrouver prise sur l'événement.

C'est durant cette séquence que le curé effectue son impuissante tentative de sauvetage. Cependant, le colporteur Brethenoux, qui regrette d'avoir joué l'apprenti-sorcier, le bon Philippe Dubois, scieur de long à Hautefaye, Georges Mathieu, un artisan de Beaussac, et, peu après, le domestique Pascal, dépêché de Bretanges aux premières nouvelles de l'assaut, tentent, malgré les menaces, de parer courageusement les coups qui pleuvent sur la victime. Ils en reçoivent quelques-uns à l'occasion, tout en répétant aux paysans en colère qu'il ne s'agit pas d'un « Prussien », mais d'un bon jeune homme, leur voisin, dont certains connaissent la générosité.

Au fil des minutes, le projet *d'assommer* Alain de Monéys semble l'emporter; et l'on ne saisit pas très bien ce qui détermine l'abandon du rite de la pendaison; à moins que ce ne soit tout simplement la versatilité de la foule joyeuse.

La deuxième séquence du supplice se déroule dans l'étroite venelle sur laquelle donne l'habitation du maire, l'atelier où celui-ci ferre les animaux et l'étable, à l'intérieur de laquelle il loge ses moutons. Trois modestes bâtisses, trois stations du drame. Les défenseurs d'Alain de Monéys réussissent à le porter vers la maison de Bernard Mathieu. La victime a déjà escaladé une ou deux marches du petit escalier qui conduit à la porte, quand celle-ci se ferme brutalement. Le maire balbutie quelques paroles d'apaisement mais interdit au « coupable » l'accès de sa demeure. Buisson et François Mazière arrachent vivement le jeune noble de l'escalier qu'il a commencé de gravir. Désormais, la démission de l'autorité municipale se révèle patente. Chambort, faisant tourner sa canne plombée, se donne ouvertement des allures de chef. Il ordonne : *avant de faire périr le « Prussien », il faut le faire souffrir.* Cependant, certains proposent de le brûler, d'autres restent fidèles au projet de pendaison. Les quelques assaillants qui le tiennent décident de sangler Alain de Monéys sur le travail du maréchal-ferrant. Dans le même temps, on l'assomme. C'est alors que Brouillet dit Déjeunat, le frappe sauvagement. Le chiffonnier de Nontronneau, François Léonard, dit Piarrouty, désireux de venger son fils, lui assène, par-derrière, un terrible coup du crochet avec lequel il pèse la marchandise. Alain de Monéys s'affaisse; la foule pense un instant que le « peillaro » l'a tué.

Nous saisissons mal ce qui se passe alors dans l'atelier du maire; l'épisode demeure aussi obscur que celui qui s'est déroulé au pied du cerisier. Interrogée en 1936, Mademoiselle Mazière, dite Zilliou, fille du domestique Pascal, l'un des défenseurs de la victime, dira à Gabriel Palus que Monsieur de Monéys a bien été attaché par des sangles sur le travail [14]. L'interrogatoire des témoins – tel qu'il nous a été rapporté – nous apprend peu à ce sujet. Quoi qu'il en soit, c'est alors que le maire, qui a refusé l'entrée de sa demeure, propose d'enfermer le « Prussien » dans son étable à moutons. Ce qui est fait.

Durant quelques minutes s'interrompent les gestes du supplice. Alain de Monéys bénéficie de quelques instants de repos, sinon d'espoir. « Il s'affaissa, lit-on dans l'acte d'accusation, en atteignant le fond, haletant, ayant peine à respirer; il se crut cependant sauvé. Il voulait qu'on achetât une barrique de vin pour faire donner à boire à ceux qui le poursuivaient. » Il accepte de manger la poignée de figues que lui présentent ses amis.

Mais bientôt la foule gronde, menaçante; et Chambort à sa tête, qui parle de mettre le feu à l'étable, ou de la découvrir pour en faire sortir le « Prussien ». Tandis que l'un de ses amis, le meunier Boutandon, défend courageusement la porte, Philippe Dubois conseille à Monsieur de Monéys d'ôter son gilet et sa chemise pour enfiler une blouse paysanne; cela ne pourra, pense-t-il, que faciliter une éventuelle fuite. Les assaillants ne lui en laissent pas le temps. Le malheureux jeune homme, qui a commencé de se déshabiller, doit renfiler ses vêtements à la hâte. Au moment où la foule va ressaisir sa victime, le fidèle Dubois l'interroge; écoutons-le : « N'aimeriez-vous pas mieux, lui dis-je, être fusillé que d'être ainsi assommé à coups de bâtons? – Oh oui! murmura-t-il, que l'on me fusille! – Vous l'entendez, mes amis, criai-je à la foule, allez chercher des fusils. [...] On ne m'écouta pas. » La foule, qui a décidé de faire souffrir le « Prussien », entend rester fidèle aux formes traditionnelles de massacre.

C'est alors que Chambort, suivi de Buisson et d'une cinquantaine d'individus, s'en va « porter la parole » au presbytère [15]. A ce moment précis, l'hostilité de la foule aurait pu basculer et prendre pour cible Monsieur Saint-Pasteur; mais le gros des forcenés qui massacrent Alain de Monéys n'entendent pas lâcher leur sanglante proie déjà entourée, nous dit-on, par un essaim de mouches.

La troisième séquence du supplice se déroule sur le chemin qui conduit de l'étable à moutons au foirail à bestiaux, sur lequel les massacreurs ont finalement décidé de *brûler le « Prussien ».* Après l'avoir arraché à l'autorité défaillante du maire, la foire s'empare de sa victime. Le « travail », l'étable, le foirail : les stations du supplice indiquent le même désir de réduire le « coupable » au statut de l'animal. « On traînait, précise l'acte d'accusation, en le soutenant, le pauvre jeune homme dont la tête était – au dire d'un témoin – comme un globe de sang. » Le cruel Léonard dit Piarrouty assène à nouveau de ses terribles coups. « Mes amis, je suis perdu », déclare avec lucidité Alain de Monéys aux quelques fidèles qui s'emploient toujours à le défendre.

Ceux-ci nourrissent un dernier espoir : le faire entrer dans l'auberge qui se trouve sur le chemin. Mais, une fois encore, la porte se ferme brutalement, alors que le malheureux a déjà glissé le pied dans l'entrebâillement. L'aubergiste ne veut rien entendre. A Philippe Dubois, qui s'est glissé par-derrière et qui lui demande avec empressement d'ouvrir la porte qui a écrasé la cheville de la victime, le tenancier rétorque : « On va tout briser ici. » Cette fois, le jeune homme s'effondre, « la tête toute noire ». On le croit mort, et pour de bon cette fois, quand, à la stupéfaction générale, il se relève brusquement. Dans un dernier sursaut, en présence du maire qui accompagne toujours le cortège, le « Prussien » tente alors de se défendre. Il s'élance, s'empare d'un pieu qui traîne dans une grange et fait face à la troupe des assaillants. Le jeune Campot n'a pas de mal à se saisir de l'arme pour en frapper le déplorable jeune homme. Celui-ci cherche un ultime refuge sous un char à bancs. On l'extrait de dessous le véhicule. Buisson le désarme « d'un nouveau pieu », à l'aide duquel il cherche encore à se protéger, et lui porte un coup qui « fut, dit-on, celui de la mort ». De larges taches de sang attesteront longtemps l'intensité de ce dernier assaut contre le corps pantelant.

Alors commence la quatrième et dernière séquence, avant la crémation. La foule s'acharne sur un homme dont on peut raisonnablement penser qu'il entre dans le coma. On le « foule » et on le bat comme on le fait du blé, déclare un témoin. Puis commence le rituel appauvri des gestes cérémonieux de la dégradation du corps. Après avoir tenté de l'écarteler, François Mazière et Campot jeune, le prenant chacun par une jambe, traînent Alain de Monéys sur le chemin rocailleux, tantôt sur le dos, tantôt la face contre terre; la « tête rebondissante », ensanglante les cailloux. « De temps en temps, lit-on dans l'acte d'accusation, pour se reposer, Campot et Mazière le laissaient brutalement retomber, et les coups, qui ne cessaient pas, résonnaient sur sa tête et ses jambes comme sur un fagot de bois. Le maire suivait toujours, avec son écharpe. » En bref, on traite le corps comme on le fait habituellement d'une charogne [16], pour finalement le jeter « violemment sur les pierres qui forment le talus en pente d'une mare, alors presque à sec ».

III – *« Bourrer » le « Prussien »*

Arrêtons-nous un instant, tandis qu'au dire des témoins, la victime est encore agitée de quelques soubresauts, pour considérer et pour écouter plus attentivement les acteurs. Les vingt et un individus qui, au terme de l'instruction, apparaîtront avoir joué le plus grand rôle au sein de la foule meurtrière jouissaient d'une bonne réputation avant ce tragique seize août. Aux yeux du président Brochon, c'est ce qui constitue l'originalité de l'affaire. A coup sûr, il ne s'agit pas d'un crime de droit commun; d'où l'insistance de l'un des avocats, le républicain Louis Mie, qui s'efforce de sauver ses clients en martelant l'évidence du geste politique.

Aucune femme parmi les accusés; ce qui n'est pas pour nous surprendre, compte tenu de la composition de la foule assemblée, ce jour-là, sur le foirail de Hautefaye. Reste que ce trait distingue l'un des derniers massacres de l'histoire française de ceux qui le précèdent comme de ceux qui le suivent. A Buzançais en 1847 [17], à Clamecy en 1851 [18], à Paris, rue Haxo [19], en mai 1871, les femmes participent activement à la mise à mort du fils Chambert, du gendarme Bidan et des prisonniers de La Roquette. La composition de l'effectif des meurtriers de Hautefaye ne correspond pas au portrait que les historiens ont brossé de la foule révolutionnaire. Toutes les tranches d'âge sont ici représentées. Le supplice périgourdin a toutefois pour principaux acteurs des hommes mûrs, entourés d'adolescents et de vieillards. Sur les vingt et un accusés, douze ont trente ans et plus et trois dix-huit ans ou moins. Seuls, six d'entre eux par conséquent ont entre dix-huit et trente ans. Deux des plus terribles massacreurs sont déjà des vieillards; cinq ont dépassé la cinquantaine. « Parmi les plus acharnés, lit-on dans l'acte d'accusation, le maire reconnut un vieillard, l'accusé Sallat père (soixante-deux ans) qui l'(Alain de Monéys) assommait avec son bâton. » Mathieu veut l'arrêter, mais il est repoussé par le vieux qui réplique : « Écoutez, monsieur le Maire, c'est un coquin, il faut le tuer », et il continue de frapper.

Plus étonnante pourrait, à première vue, paraître l'intense participation de trois jeunes garçons, si l'on ne savait que cette cruauté puérile constitue une tradition, aujourd'hui bien analysée [20]. A l'adolescent admis sur le foirail, le massacre fournit l'heureuse occasion de démontrer sa virilité et de s'intégrer aux travaux des hommes; n'oublions pas en outre que c'est aux plus jeunes d'allumer le feu, le soir de la Saint-Jean; or, cette fête, somme toute, n'est pas très éloignée, en cet après-midi du 16 août 1870. Le jeune Brut, âgé de seize ou dix-huit ans, mais qui en paraît à peine quatorze, habite Hautefaye; l'irruption de l'événement en plein centre de sa commune semble l'avoir émoustillé. Il parcourt le bourg en montrant avec triomphe son bâton ensanglanté, se vantant de sa cruauté et disant au jeune Feytou : « Et toi, as-tu frappé? Tu es un capon; tu aimerais mieux te laisser égorger. » Mais le plus terrible demeure son compagnon, Thibaud Limay, dit Thibassou, « qui n'avait pas quatorze ans (et qui) trouvait un cruel plaisir à frapper avec une grosse baguette ce cadavre inerte et sanglant ».

La faible participation des jeunes de dix-huit à trente ans contredit les modalités de la traditionnelle violence villageoise, mais elle s'explique aisément. Un certain nombre d'entre eux sont partis avec le contingent; d'autres sont à la veille d'être mobilisés comme anciens soldats ou comme membres de la classe 70; d'autres enfin savent qu'ils vont être incorporés dans la garde mobile que l'on commence d'équiper; ils n'ont sans doute guère le cœur à se promener sur le foirail de Hautefaye. D'autant que vendre les bêtes, c'est l'affaire du chef de la famille ou de l'exploitation.

La distribution des individus compromis selon leur domicile ne fait, nous l'avons vu, que déterminer le rayon de la foire, soit une vingtaine de kilomètres. De la même manière, l'analyse de la composition professionnelle de ce groupe offre peu d'intérêt, tant se révèle grande la banalité des résultats. Sur les vingt et un accusés, douze sont des cultivateurs, sept des artisans (un maréchal-ferrant, un forgeron, un tailleur de pierres, un maçon, un tailleur d'habits, un chiffonnier et un scieur de long) et deux probablement des salariés (un terrassier, un mineur). Nous le savons, celui qui fait figure de chef, qui dirige le mouvement à l'aide de sa canne plombée, « d'un air de commandement, en disant : “ Allez! Allez! ” », est un maréchal-ferrant, tout comme le maire de Hautefaye, l'insignifiant Mathieu.

Parmi les défenseurs des deux jeunes nobles se distinguent un domestique, le fidèle Pascal, et un métayer, Corgniac dit Frisat. C'est à lui que Camille de Maillard semble devoir en partie son salut. Le dévouement constitue d'ailleurs une tradition dans la famille. Pendant la Révolution, le père de Corgniac aurait déjà sauvé ses maîtres en les dissimulant dans une grotte [21]. Mais tous les métayers ne sont pas faits du même bois; celui de la femme Antony, le terrible François Mazière, figure parmi les plus violents. En revanche, Philippe Dubois, le meilleur des défenseurs d'Alain de Monéys, est un scieur de long; il n'avait donc pas directement intérêt à une telle générosité. Celle-ci paraît lui être dictée par un sentiment d'humanité; à moins que ce ne soit par solidarité de voisinage, puisqu'il réside à Hautefaye. Georges Mathieu, le neveu du maire, est boulanger et aubergiste à Beaussac; il prend la défense du jeune adjoint de sa commune. Quant au meunier Boutandon, on peut penser que, comme bien souvent les membres de sa profession, il ne se sent pas totalement intégré à la communauté.

Chacun, après coup, s'accorde à juger déplorable l'attitude de Bernard Mathieu. Il faut toutefois se rappeler que, depuis 1815, bien des maires [22] débordés s'étaient, dans la région, montrés totalement impuissants face au déferlement de la violence paysanne. Bernard Mathieu a déjà soixante-huit ans; c'est, semble-t-il, un bon grand-père dont la petite fille, âgée de neuf ans, se montre trop sensible pour supporter le spectacle du supplice. A l'évidence, l'homme n'a guère de personnalité; de tous les élus au conseil municipal, ce n'est d'ailleurs pas le plus apprécié. Ainsi, lors du scrutin municipal de 1865, il n'a recueilli que 86 suffrages et son adjoint, Pierre Jardry, 84; alors que Pierre Nadaud, propriétaire, en obtenait 103 [23]. On peut penser que Mathieu doit son écharpe à son âge, à la situation de son domicile et à sa fortune qui est assez rondelette, puisque la préfecture en estime le revenu à deux mille francs.

Incontestablement, le maire a cherché, un temps, à calmer les émeutiers. Devant l'auberge, rapporte un témoin, Mathieu s'est écrié : « Mes enfants, restez tranquilles, si Monsieur de Monéys est coupable, on le mènera à Mareuil. » Puis, tout en refusant à la victime la porte de sa maison « de peur qu'on lui casse sa vaisselle [24] », il lui offre son étable à moutons, soucieux qu'il est de disperser l'attroupement. Certains témoins l'ont en effet entendu dire à ce moment : « Ôtez Monsieur de Monéys de devant cette auberge, il gêne la circulation. » Propos que Mathieu, il est vrai, niera catégoriquement lors du procès.

Le maire préfère que la violence se déploie sur le foirail plutôt que d'encombrer le centre du hameau et, plus précisément, la venelle le long de laquelle se trouvent sa maison, son étable et son atelier. Cela dit, Mathieu suit le supplice jusqu'à son terme, essayant par instants de modérer l'ardeur de ceux qu'il connaît le mieux.

Devant l'auberge, le maire aurait prononcé des paroles scandaleuses, peut-être sous forme de boutade. Son dire, abondamment souligné, va contribuer à étayer la rumeur de cannibalisme. Selon Jean Maurel, un couvreur de soixante-dix-huit ans qui réside à La Chapelle-Saint-Robert, les plus acharnés auraient dit à Mathieu, en parlant de la victime « alors arrêtée devant l'auberge » : « Nous voulons le tuer, *le faire brûler et le manger.* » Le maire aurait répondu : *« Mangez-le si vous voulez. »* Ces mots terribles semblent avoir été rapidement colportés; la femme Antony les a déjà reproduits au procès, avant que Maurel ne témoigne. Reste qu'il s'agit d'un bruit sans grand fondement. Devant les dénégations énergiques de Mathieu, le couvreur ne maintiendra pas ses accusations.

Délivrée de la tutelle de l'autorité dont elle constate l'effacement, la foule libère sa parole : « Il n'y a plus de loi, crient les meurtriers assemblés autour du bûcher, on peut maintenant tuer un noble comme une mouche ou comme un poulet. » Deux clameurs reviennent comme autant de leitmotive, tout au long du supplice : « Vive l'Empereur! » et, à propos de la victime : « C'est un Prussien! » Le vivat républicain que les paysans du foirail attribuent au noble pour fonder sa culpabilité et lui permettre d'incarner toutes les menaces demeure jusqu'au bout la justification du massacre. « Le soir, témoigne Antonin Antony, François Mazière disait : " J'ai frappé, nous avons tué celui-là. Je ne m'en repens pas, nous en tuerons bien d'autres; nous l'avons tué *parce qu'il* a crié : Vive la République! " »

L'analyse de la parole des massacreurs permet de détecter trois niveaux de représentations : un petit groupe saisit clairement la réalité et se montre atterré de l'aveuglement de la foule : il est formé de ceux qui connaissent parfaitement l'identité et la réputation d'Alain de Monéys. Pour une partie de l'effectif meurtrier, la victime appartient à cette noblesse qui envoie de l'argent à l'ennemi et qui souhaite l'avènement de la république. Pour d'autres enfin, qui ignorent tout de la commune, Alain de Monéys n'est autre qu'un de ces « Prussiens de l'intérieur » dont la rumeur ressasse la présence. Étienne Campot aîné, interrogé sur les motivations de sa cruauté, répond, « moitié patois, moitié français » : *« On disait que c'était un Prussien. Je n'en avais jamais vu... »;* aussi l'a-t-il saisi au collet *« pour l'examiner ».* « Renaud, selon Antonin Antony, se promenait autour du bûcher et disait : " n'avons-nous pas assez de Prussiens à la frontière sans en avoir encore à l'intérieur? En voici un qui est mort, je crois que nous avons bien fait notre devoir ". Il se découvrait de temps en temps en levant l'autre main, criant : " Vive l'Empereur! Vive la France [25]! " »

« Il faut le tuer! » « Il faut le faire périr! »; le comportement des paysans répond à sa logique propre. Reste à déterminer les modalités de la mise à mort. Très vite s'impose la décision : « Il faut le brûler »; dès la première séquence du supplice, les forcenés entraînent Alain de Monéys en vociférant : « Il a crié vive la Prusse! Vive la République! Il faut le tuer! – Il faut le tuer, il faut le brûler! hurlait sans cesse l'accusé Beauvais. » Telle est encore la clameur de la foule massée devant l'étable à moutons. « Il faut le rôtir », répète-t-on, dans le droit fil de la métaphore de l'animal qui ordonne les gestes et les cris [26]. C'est qu'il s'agit simplement d'appliquer la loi du talion par anticipation. « La victime ne remuait plus, on s'écria qu'il fallait la brûler *parce que les Prussiens viendraient nous brûler.* » L'abandon rapide du projet de pendaison répond sans doute au désir de conjurer le spectre de l'incendie.

Quant à la visée cannibale, dont on peut d'ailleurs contester à bon droit qu'elle ait été réellement formulée, elle ne fait tout au plus que s'esquisser. Nous y reviendrons. Bien réels en revanche, mais somme toute assez rares, les cris qui désignent à la vindicte des assassins le curé de Hautefaye, celui de Mainzac (Charente) [27] et celui de Lussas, deux paroisses du voisinage.

Révélateurs aussi les gestes de l'assaut, les manières de supplicier : en bref, le traitement du corps de la victime; car c'est bien un supplice et non un massacre que la foule a l'intention explicite d'accomplir. « Il faut le faire souffrir », ne cesse de répéter Chambort dans la venelle. Il convient de souligner ce désir de renouer, par-deçà l'utilisation de la guillotine et du peloton d'exécution, avec l'ancienne figure du châtiment; nouvel indice de l'inertie des représentations.

« Le bourrer », tel est le premier geste hostile de la foule; c'est celui de la rixe [28]. On porte les coups avec les poings, mais aussi avec les pieds en veillant à ce « qu'ils portent bien ». Quand la victime est à terre, les sabots visent les reins, le ventre et le visage. La main frappe avec un instrument : le bâton de préférence. On bat Alain de Monéys comme on le fait du blé, notamment au cours de la dernière séquence, lorsque les coups pleuvent durant dix minutes sans que la victime réagisse; ce qui facilite la participation active de tous. Ceux qui ont l'aiguillon à la main visent le bas-ventre, là où l'on chatouille la bête sur le foirail. L'un des tueurs utilise un morceau de bois, une « traverse pointue arrachée à un contrevent ». Nous l'avons vu, par la suite, Campot jeune frappe la victime avec le pieu qu'il vient de lui arracher.

La foule déchaînée n'utilise pas d'instruments tranchants; elle ne parle pas de « saigner » le « Prussien » [29]. Pas de couteau, pas de hache, pas de serpe, pas de faux. Il est tout juste fait mention d'une fourche [30], mais incidemment. Il s'agit d'assommer, comme sait le faire le paysan lorsqu'il a décidé de tuer une bête; il convient de doser les coups pour faire durer le supplice et permettre à chacun d'ensanglanter son bâton. Le terrible crochet de Léonard Piarrouty constitue, somme toute, une exception qui semble susciter la réprobation. On lui pardonne sans doute parce que, depuis deux jours, la nouvelle s'est répandue que son fils est « en mille morceaux ».

Le supplice n'implique pas la mise en ordre de la foule; on ne fait pas la haie. A Hautefaye, l'abattage n'est pas organisé comme il l'avait été à l'intérieur des prisons parisiennes, en septembre 1792. Cependant, on ne saurait exactement parler de lynchage [31], ni de massacre désordonné. Le supplice se révèle implicitement calculé. Nous l'avons vu, la mise à mort dure très précisément deux heures; cette gestion du supplice contribue peut-être à expliquer le rapide abandon du projet de pendaison. Ce rythme lent, dans lequel nous ne lisons qu'un signe de cruauté, s'accorde au désir de faciliter la dilution de la responsabilité; chacun ayant amplement le temps de porter ses coups.

On ne s'étonnera pas du refus collectif de fusiller. Un tel geste aurait perverti le sens de l'événement. La modernité du massacre qui s'effectue dans le déploiement des techniques militaires du maintien de l'ordre au sein de l'espace public [32], ne saurait satisfaire les paysans assemblés sur le foirail de Hautefaye. Ceux-ci entendent faire souffrir, tous ensemble, et jouir, dans le même temps, du spectacle de la souffrance infligée à celui qui rassemble les figures de la menace.

La panoplie des gestes atteste toutefois la pénétration de la modernité. La foule de Hautefaye participe à sa manière du sentiment d'humanité qui se déploie depuis l'aube du XVIIIᵉ siècle. Elle ne recourt pas aux « mutilations cérémonieuses » [33] qui, entre juillet 1789 et septembre 1792, entretenaient encore la liesse des foules révolutionnaires, comme naguère le plaisir des « Jacques », en ce même Sud-Ouest. Depuis la Révolution, on ne dépèce plus autrement qu'en parole; on ne pratique plus l'extraction des viscères. La foule ne coupe pas la tête d'Alain de Monéys; elle ne promène pas son chef en cortège de dérision [34]. De l'ancien rituel, seules demeurent la tentative d'écartèlement et la dégradation du corps, traîné comme une charogne vers ce qui semble un lieu où l'on peut accumuler l'ordure [35].

Suggérons, pour en terminer, que la décision de supplicier l'ennemi résulte peut-être de l'impossibilité du « parlage » avec les autorités. Le pauvre Bernard Mathieu ne constitue qu'un interlocuteur dérisoire pour une foule en colère qui d'ordinaire s'en tient à l'échange des paroles et à la violence verbale. La comparaison avec plusieurs incidents évoqués au cours du premier chapitre donne à penser que l'intervention de quelques notables et d'un corps municipal à la hauteur de sa fonction aurait suffi à cantonner l'affaire dans le domaine de la rhétorique.

IV – *Le bûcher ou la tribune improvisée*

Dès quatorze heures trente, s'impose le projet de brûler Alain de Monéys, supplice en forme de talion sans doute suggéré aussi par la proximité de la Saint-Jean [36]. Le moment est donc venu de parler du bûcher de Hautefaye. Nous en connaissons le lieu; cet endroit dégradé que les habitants appellent « le lac desséché ». C'est Chambort qui ordonne la manière de « dresser le bûcher ». A vrai dire, l'expression se révèle impropre puisque le bois, la paille et les fagots sont tassés *sur le corps de la victime* que l'on a préalablement jetée en cet angle du foirail [37]. Dix personnes environ œuvrent à la préparation du bûcher;

du moins est-ce l'estimation de Jean Frédéric, un tailleur de pierres de Beaussac qui avoue avoir participé à cette opération. Chambort toutefois accomplit le gros du travail. A trois reprises, il dépose sur le corps « des branches de noyer » arrachées à la clôture qui borde le champ de foire. Il se procure un « faix de paille » chez un limonadier; puis il apporte deux fagots. Pendant tout ce temps, il ne cesse de crier : « Vive l'Empereur! »

Il convient ensuite de fouler le bûcher – et le corps – pour réussir un bon feu. Debout sur les fagots, Chambort « tasse le bois avec ses pieds » et se « balance en piétinant ». Au dire de Léonard Gauthier, Campot jeune *« chauche »* lui aussi, et lève les bras, en criant : « Vive l'Empereur! » du haut de cette tribune improvisée.

Faire jaillir la flamme se révèle difficile. Chambort n'a pas d'allumettes. Tandis qu'il court s'en procurer, on place quelques morceaux d'un vieux papier jaune à la base du bûcher, près du corps d'Alain de Monéys. Comme à la Saint-Jean, c'est aux jeunes d'allumer le feu, décrète Chambort, sous l'œil du maire impuissant [38]. Le fidèle Dubois tente, mais en vain, d'empêcher le dernier acte du supplice. Trois ou quatre jeunes gens s'emploient, en même temps, et avec le même empressement, à mettre le feu au bûcher. Le petit Limay, dit Thibassou, que nous connaissons déjà, se montre le plus vif; il frotte une allumette sur son pantalon, la passe au petit Delage, dit Lajou, qui se baisse pour faire prendre le papier.

Alors éclate le feu de joie. Car, c'est bien de cela qu'il s'agit. Tout autour du bûcher, précise l'acte d'accusation, s'exprime une « joie féroce », tandis que les plus proches s'efforcent d'attiser la flamme. Dans le massacre, se déploie une libération joyeuse des pulsions dionysiaques. La profanation de la victime, l'outrage, l'injure, la plaisanterie qui la stigmatisent, l'héroïsation proclamée des acteurs, la participation festive de la foule, la ritualisation, même dégradée, le distinguent radicalement de l'assassinat, crime odieux, perpétré dans l'ombre, à l'insu de tous. C'est bien ce qui rend intolérable de soumettre le massacre au régime du droit commun.

Les plus exaltés déambulent et parlent près du feu. Comme à la Saint-Jean, c'est alors le moment de se distinguer. A Hautefaye, ce soir-là, le drame atteint son point culminant. Devant la foule assemblée, Renaud précise et résume avec emphase le sens de l'action accomplie en commun [39].

C'est alors qu'apparaissent quelques-unes des rares femmes présentes à Hautefaye. « Pendant que le corps se consumait, précise Philippe Dubois, les gens de la foire, des femmes, des enfants, allaient et venaient et entouraient le lieu où se passait cette scène », désormais totalement intégrée au spectacle de la réunion marchande. « J'étais dans le pré, à côté de l'endroit où l'on a fait brûler Monsieur de Monéys, avoue Catherine Dupuy. J'ai vu flamber le feu, j'ai distingué les mouvements que faisait le malheureux sous le bois dont il était couvert. » « En passant, explique pour sa part le boucher Laveyssière, dit Lioneau, nous nous arrêtâmes devant la mare et nous vîmes le cadavre [...]. Il y avait autour du bûcher des enfants et deux hommes qui attisaient le feu. » Certains spectateurs demandent autour d'eux quelle est l'identité de la victime; ce qui prouve, s'il en était besoin, qu'ils ont jusqu'alors participé au mouvement de la foire, sans même s'apercevoir, ou du moins sans se préoccuper, du déroulement du supplice.

Autour du feu se déploie ce « langage du cochon », bien connu des anthropologues [40]. Mal interprété, il confortera la rumeur de cannibalisme. La métaphore qui tout le jour a imprégné les gestes du supplice, trouve ici son accomplissement. Feu de joie de la Saint-Jean, le bûcher évoque aussi le brûlage des soies que l'on effectue lors de la tuerie du porc ou bien encore, tout simplement, le rôtissage des meilleurs morceaux de la bête [41]. « Le soir, précise l'accusation, les acteurs de cet *acte de cannibales* allaient raconter hautement, partout, la part qu'ils y avaient prise : " Nous avons fait griller à Hautefaye un fameux cochon! " osaient dire quelques-uns. » Jean Bilet, ouvrier sarcleur de trente-quatre ans, déclare à l'audience : « Au moment où la flamme s'éleva, Monsieur de Monéys agita les bras et les jambes et poussa des cris comme ceux d'un porc auquel on passe le couteau dans le cou »; cri qu'aucun témoignage ne vient confirmer; ce qui atteste encore plus fortement la prégnance de la tuerie du porc sur l'imaginaire.

« Il y en eut un, lit-on encore dans l'acte d'accusation, qui eut la rage d'allumer sa cigarette à des tisons pris sur le corps de Monsieur de Monéys; un autre le montrait du doigt en disant : " Voyez comme cela grille bien. " Besse, voyant flamber la graisse qui coulait le long du corps, n'exprimait qu'un regret : c'est que toute cette graisse fut perdue [42]. » Quant tout fut fini, plusieurs hommes remuaient encore joyeusement le brasier et le cadavre du bout de leurs bâtons [43]. Lors du procès, les deux pierres plates sur lesquelles cette graisse a coulé serviront de pièces à conviction.

Alain de Monéys était-il encore vivant? bougeait-il? était-il doué de sensibilité lorsque le petit Lajou a fait jaillir la flamme? Telles sont les questions qui obsèdent au prétoire; l'avocat général joue d'ailleurs habilement de cette corde sensible. Sans oublier le problème de responsabilité pénale qui se trouve ainsi posé, les magistrats tentent alors de jauger la pitié, de mesurer les larmes et d'estimer les cœurs. Du même coup, ils sèment le désarroi chez les témoins. A Hautefaye, le 16 août, on ne semble guère s'être préoccupé d'affiner à ce point la mesure des souffrances infligées.

Élie Mège, pour sa part, prétend que « Monsieur de Monéys écartait avec les pieds et les mains le bois qu'on jetait sur lui, alors quelques acharnés les rapprochaient. La victime n'avait pas la force de crier ». A la question de l'avocat général : « Combien de temps a-t-il *pu se sentir brûler?* » le témoin répond : « Un petit moment. Dix minutes ou un quart d'heure. » – L'avocat général : « Vous avez dit un petit moment! Vous êtes donc sans cœur. » On mesure le fossé qui sépare deux systèmes de représentations de la douleur, deux estimations des seuils et des échelles de la souffrance; en bref, deux manières de sentir se trouvent confrontées à l'intérieur du prétoire, en ce jour de décembre 1870.

Mais revenons au drame qui s'achève. Le corps consumé, la foule s'apaise et tire la leçon : « Elle s'écoula indifférente et tranquille, disant que c'était bien fait, que quiconque le (Alain de Monéys) plaindrait, méritait qu'il lui en arrivât autant. »

Cependant, avant même que la nuit ne tombe, le discours de la vantardise cède peu à peu devant la montée d'une sourde inquiétude. Il convient d'être attentif au bref déploiement de cette gloriole qui informe sur le sens de l'événement. Le soir, Besse, dit Deroulet, un terrassier de cinquante ans, se vante auprès de son épouse d'avoir attisé le feu. Léonard Piarrouty se fait gloire « d'avoir frappé trois fois Monsieur de Monéys de son crochet et de lui avoir donné quatre coups de poing qui se portaient bien »; et nous savons les paroles de ceux qui, le soir, se félicitent d'avoir fait brûler un « fameux cochon ».

Dans ce discours initial perce l'espoir d'une *récompense en argent*. Pierre Sarlat prétendait que lui et les autres « avaient droit à une paye du gouvernement ». Chambort s'en va clamer que la paille qu'il a trouvée chez le limonadier lui a coûté treize sous et qu'il espère bien être remboursé. François Cholet, un tailleur de pierre âgé de vingt-neuf ans, a dit à Pierre Brudieu, garde particulier, qu'il espère « une récompense de l'empereur pour avoir brûlé Monsieur de Monéys ». Le soir, François Mazière explique à sa patronne, la femme Antony : « Nous l'avons fait *pour sauver la France, notre empereur nous sauvera bien.* »

Mais déjà l'inquiétude commence à faire taire la vantardise. Au procès, Pierre Basbayou témoigne : Buisson lui a montré son pieu ensanglanté et lui a dit : « qu'il voulait le porter chez lui pour s'en faire gloire. Je lui dis qu'il ferait mieux de le jeter et il le jeta ». La jeune Noémi ramasse le pieu ensanglanté avec lequel Buisson a frappé et le donne à Anne Mondout; celle-ci s'empresse de le brûler. Sage précaution, car le soir même les gendarmes sont à Hautefaye. Alors commence l'instruction de ce qui devient une affaire; le procureur général de la Cour de Bordeaux, conscient de la gravité de l'événement, décide de se déplacer; le 18 au soir, il arrive à Nontron; le lendemain, il se rend sur les lieux du drame [44].

V – *Vers le déchiffrement de l'énigme*

L'essentiel, pour nous, demeure la quête du sens de ce supplice et de cette crémation. Tentons tout d'abord de recourir à l'historiographie de la violence afin d'essayer les clés que celle-ci nous propose.

Le drame de Hautefaye n'appartient pas à cette longue suite d'émeutes frumentaires dont, en France, les derniers soubresauts se produisent en 1868. On sait d'ailleurs l'intensité du rôle joué par les femmes dans le déclenchement et le déroulement de ces traditionnelles émotions. Écartons, de la même manière, tout ce qui relève de ces tensions, de ces antagonismes et de ces conflits latents qui structurent et épuisent, tout à la fois, les communautés rurales. Le drame de Hautefaye n'a rien à voir avec ces affaires de biens communaux mal partagés, de droits d'usage contrariés, de pâturage abusif, d'usurpations de toute sortes, de différends nés du bois ou de l'eau qui troublent et parfois ensanglantent les campagnes du XIXe siècle. Le conflit ignore cet enracinement territorial. Il y a bien longtemps qu'un Philippe Vigier et qu'un Pierre Barral [45] ont dressé la typologie de telles émotions populaires, nées de la modernisation de l'économie agricole et de l'âpre désir de terre qui tenaille la société rurale, avant que l'exode ne vienne éclaircir ses rangs.

En bref, ce serait suivre une mauvaise piste que de chercher dans la conjoncture économique le sens du supplice, ou que de s'inspirer du dessin de cette foule révolutionnaire, obsédée par le pain, décrite naguère par Georges Rudé [46].

Écartons, dans le même mouvement, tout ce qui relève des passions vindicatives [47], tout ce qui ressortit au brutal jeu des revanches qui perturbent le monde rural, attentif en permanence au règlement des comptes [48]. Le massacre du gendarme Bidan, sur la place de Clamecy, en décembre 1851, peut être imputé à la haine produite par la sévérité du fonctionnaire; le malheureux tombe en un instant sous les coups de blessures infligées par une bonne trentaine d'insurgés [49]. Il n'en est pas ainsi du supplice du bon jeune homme de Bretanges, auquel personne ne trouve rien à reprocher et qui n'est connu que pour sa générosité.

Le meurtre de Hautefaye n'entre pas dans l'un de ces systèmes vindicatoires, pour reprendre l'expression de Raymond Verdier, qui ordonnent, par endroits, le cycle compensatoire des violences [50]. Les meurtres alternés qui, de 1790 à 1815, ensanglantent la région qui s'étend de Nîmes à Uzès obéissent à cette sinistre noria bien réglée [51]. Celle-ci s'intègre aux règles générales de l'échange, et pose la vengeance comme un fait de culture [52]. Le fonctionnement du « système vindicatoire » implique la densité et la précision de l'interconnaissance, un lien direct entre le persécuteur et sa victime et, le plus souvent, l'active participation de la jeunesse organisée. Les bagarres de village qui troublent le nord-est du Lot sous la monarchie censitaire répondent à ce modèle [53]; pas le meurtre d'Alain de Monéys. Ce forfait est l'œuvre d'hommes mûrs, indifférents à la localité.

Bien que les gestes de l'agitation antifiscale et antiétatique soient profondément enracinés dans la région, l'affaire ne participe pas de la bonne vieille tradition de protestation populaire [54]. En 1848 et 1849, les ruraux du Périgord ont su renouer avec le passé, au moment précis où, dans l'Europe entière [55], le prélèvement opéré sur la paysannerie pour assurer le décollage des économies, relançait les modalités de ces fureurs anciennes que l'on croyait disparues. A Hautefaye, le 16 août 1870, personne ne s'en prend à l'État. Bien au contraire, les meurtriers du foirail ont la conviction de travailler pour le gouvernement, de se faire les agents bénévoles du pouvoir en place. L'affaire, quoi qu'en aient dit les contemporains, ne participe pas de la jacquerie; bon vieux mythe que les notables du XIXe siècle utilisent et craignent tout à la fois jusqu'à en oublier la spécificité. Il faut mettre en garde contre l'effet déformant de *Jacquou le Croquant;* l'histoire est ici mise au service de la construction romanesque par un auteur qui puise, où bon lui semble, dans la multiplicité des époques révolues. Tout au plus, convient-il de reconnaître que les gestes du massacre périgourdin portent la trace des anciennes modalités du traitement des corps.

Les paysans présents à la foire de Hautefaye n'ont pas tenté le moindre simulacre de justice populaire. A ce point de vue, la mise à mort d'Alain de Monéys diffère radicalement, en ses procédures, des massacres parisiens de septembre 1792. Le cortège qui supplicie le jeune noble de Bretanges n'a rien d'un carnaval tragique; il ne participe pas de la culture populaire comique mise en évidence par Mikhaïl Bakhtine [56]. Aucune dérision dans l'affaire, à une remarque près [57]; pas de ces manifestations de monde mis à l'envers, le cul par-dessus tête, qui accompagnent le massacre du fils Chambert, l'usurier de Buzançais, le 13 janvier 1847. En bref, rien ne signifie la déstructuration de l'ordre social, rien ne désigne l'intense circulation des individus et des services qui définissent le carnaval. Sur le foirail de Hautefaye, personne ne se déguise, personne ne joue au Monsieur; on ne s'interpelle pas par plaisanterie, on ne donne pas de représentation. Certes, la victime semble, d'une certaine manière, n'être qu'un mannequin dont la crémation marque la fin de la fête et constitue, en quelque sorte, la cérémonie des adieux; là s'arrêtent les similitudes avec les gestes du carnaval.

Mais alors, dira-t-on, de quoi s'agit-il? Le 16 août 1870, les paysans du foirail de Hautefaye tentent d'exorciser la peur qui les étreint; de prévenir symboliquement la catastrophe imminente. Ils ont hâte de brûler un « Prussien », eux qui éprouvent intensément la certitude d'être pillés, incendiés, au cas où l'empereur serait victime de la trahison.

Déjouer le complot fomenté par la trilogie des ennemis de l'intérieur atteste le discernement de l'habitué du foirail [58]. Éliminer les Prussiens enkystés à l'intérieur du territoire national tandis que partent les hommes, c'est aussi éviter d'être pris à revers. En cela, le supplice de Hautefaye semble la réitération des événements de l'été 1792; non pas des massacres parisiens de septembre mais des meurtres collectifs qui ensanglantent la province en juillet et en août. Pierre Caron en a répertorié soixante-cinq [59]. Dans le seul département de l'Orne, étudié par Paul Nicolle [60], de tels massacres se déroulent dans huit communes différentes. Le 16 août 1870, la situation se présente, il est vrai, quelque peu différemment : c'est un empereur qui, cette fois, défend de l'invasion; et les républicains côtoient les nobles et les curés dans l'ombre du complot qui menace la grande nation.

A cela près, certains cris proférés sur le foirail de Hautefaye semblent pures réminiscences de l'été 1792 – à moins que ce ne soit de juillet 1815. « La noblesse et les curés sont cause que nos enfants partent », entend dire Desvars, le marchand de porcs. Selon le boucher Laveyssière, « au moment où l'on mit la victime sur le travail », quelques individus se mirent à hurler : « Il faut tuer tous les aristocrates. » On disait, rapporte le terrible François Campot, que Monsieur de Monéys avait crié « Vive la République! » « Ce cri, ajoute-t-il, a surtout indigné les jeunes gens appelés sous les drapeaux, qui ont voulu prendre le parti de l'empereur. » (Rappelons que le procès se déroule sous la république.) François Bordas, un « propriétaire », reproche à Léonard Piarrouty de faire preuve d'une trop grande cruauté; « ces gredins de nobles », rétorque le chiffonnier, sont « cause que mon fils est peut-être à l'heure qu'il est en mille morceaux ». A une quinzaine de jours de distance, la charge de Reichshoffen et le massacre de Hautefaye s'inscrivent en symétrie; s'il est permis d'évoquer la passion vindicative, c'est uniquement en ce sens.

L'affaire de Hautefaye ne participe donc pas d'une « révolution réactive », comme voudront le faire admettre, après coup, les leaders républicains. Elle se situe, pour partie, dans le prolongement des gestes de la Révolution. Les paysans du foirail supplicient un membre de la « Petite Vendée », tant haïe. Le drame, entre autres choses, se fait résurgence anachronique de l'horreur révolutionnaire.

Mais cela n'épuise pas, bien loin de là, le sens de l'événement. Le supplice d'Alain de Monéys demeure avant tout une manifestation identitaire. La paysannerie parcellaire, dispersée en de multiples hameaux [61], installée dans une région où la cohésion des communautés villageoises apparaît relativement faible, profite de la foire pour goûter les joies de l'identité éprouvée. Le foirail de Hautefaye, loin des notables, loin de la ville, loin des autorités, constitue, répétons-le, un lieu privilégié pour jouir du plaisir d'être ensemble et pour se délecter de l'échange des rumeurs.

Ici, mieux qu'ailleurs, les individus qui composent le rassemblement momentané peuvent formuler, clamer et traduire en actes leurs opinions politiques; et, sans crainte d'être raillés, il leur est loisible de célébrer leur attachement au souverain et à la dynastie. Le massacre de Hautefaye est un cri d'amour adressé à l'empereur en butte à la multiplicité des périls [62]. D'ailleurs, les républicains ne s'y sont pas trompés. L'intensité féroce de ce cri est à la mesure de la gravité des menaces; l'effacement du bonapartisme éclairé des notables citadins en renforce l'urgence [63].

Par-delà l'auguste [64] personne de l'empereur, le supplice d'Alain de Monéys indique la brutale ascension du sentiment national qui s'effectue au début du mois d'août. Tandis que la rancœur à l'égard de la rhétorique hostile des républicains se transforme ici en haine véritable, monte le rêve d'unanimisme étendu à la nation tout entière.

Comme bien souvent, le massacre a aussi pour fonction de souder le rassemblement [65]. La foule du foirail, temporaire et mouvante, ne constitue pas une véritable communauté rurale, nourrie de ses solidarités, paradoxalement vivante de ses tensions, forte de son interconnaissance, liée par les multiples comptes qui nouent les individus. Dans les venelles de Hautefaye, chacun doit porter un coup au pauvre Alain de Monéys, personne ne doit prendre trop haut le parti de la victime, au risque de se voir menacé du même sort. Alors peut éclater la liesse, celle du bûcher où se carbonise le corps de l'adversaire.

Reste qu'il y a dérapage. L'énormité de l'événement réside moins dans l'excès des gestes de la violence que dans la cécité délibérée des massacreurs. Les paysans du foirail, tout en sachant qu'il s'agit d'un noble de la région, refusent d'entendre ou plutôt d'enregistrer cette identité, d'admettre la clarté de l'évidence. *Ils ont par trop besoin de s'en prendre à l'ennemi pour s'arrêter sur la qualité véritable de la cible qui s'offre à eux.* C'est pourquoi les analystes ont parlé de délire, pressés qu'ils étaient de recourir à cette psychologie des foules qui fit naguère les délices de Georges Lefebvre [66].

Qui pourrait en effet le nier? Il est une part offerte aux fantasmes dans l'affaire de Hautefaye. L'essentiel, pour déchiffrer l'énigme, est ici de ne pas considérer la victime réelle mais de s'en tenir à l'identité et au sens que lui confère la communauté. L'objet du supplice apparaît alors simple support, mannequin utilisé pour une opération qui le dépasse, tout comme le massacre transcende la minuscule commune de Hautefaye. Sur le foirail et le long des venelles du hameau, « l'indicible et l'insoluble (des) tensions [67] » se projettent sur l'innocente victime. Il s'agit pour la foule des paysans, assemblés dans le plus profond désarroi, de reconquérir une certaine maîtrise sur son destin, grâce à la simplicité de l'antagonisme unique. Là, sans doute, réside, en dernier ressort, la clé d'un comportement qui, jusqu'à ce jour, demeure énigmatique. On l'aura reconnu, il est difficile de ne pas penser ici au mécanisme victimaire exposé par René Girard [68]. Sur le foirail de Hautefaye, la communauté, pour reprendre les termes de celui-ci, « a la conviction absolue qu'elle a trouvé la cause unique de son mal », « la fixité rassurante de l'adversaire, la différence abominable [69] ».

Les massacreurs périgourdins ont voulu, ils ont cru expulser le monstre, purifier la communauté, tout à la fois, d'un noble, allié des curés, d'un républicain et d'un

Prussien. Ce faisant, ils sont apparus comme l'incarnation des « cannibales », ces monstres les plus abominables, que l'on s'efforçait d'exorciser depuis l'aube de la Révolution.

Car il nous faut à présent considérer le fait historique majeur : l'inadéquation du massacre de Hautefaye lorsqu'on l'inscrit dans le cadre de la culture politique du temps. Ce qui, en 1792 encore, pouvait être considéré comme l'expression admissible, voire noble, d'une opinion ne peut plus, en août 1870, qu'inspirer de l'horreur, quelle que soit l'appartenance des observateurs. Une mutation de la sensibilité collective sépare les deux dates. Les paysans du foirail vont se heurter à l'incompréhension totale de la société englobante; mais, dans le même temps, ils vont fournir à celle-ci l'occasion de projeter sur eux ses fantasmes.

CHAPITRE IV

L'HÉBÉTUDE DES MONSTRES

I – *Le travail de l'horreur*

Le supplice de Hautefaye est un « monadnock ». Les géographes appellent ainsi ces témoins du passé géologique qui surplombent le désert de leurs formes insolites, fort goûtées des réalisateurs de westerns. L'essentiel de l'intérêt du drame périgourdin réside en effet dans le sentiment d'étrangeté qu'il inspire. Le président des assises de Périgueux le dit à sa manière : « l'épouvantable forfait » oppose un démenti au XIXe siècle.

De ce fait, il constitue une voie d'accès privilégiée à certains processus majeurs qui relèvent de l'anthropologie historique. Le drame de Hautefaye fascine parce qu'il signale une distance, un écart entre la sensibilité dominante et les comportements de paysans, indifférents à la modification des seuils du tolérable. C'est bien ce décalage qui le pose en objet historique de premier plan; son importance résulte de sa date tardive; survenu entre le XIVe siècle et 1795, il apparaîtrait insignifiant, excepté par le caractère édulcoré de sa cruauté.

L'intense sentiment d'étrangeté produit par ce massacre tardif incite à déplacer l'attention, du récit de l'événement vers les modalités de sa réception. L'horreur et la colère, le désarroi et l'hébétude qu'il suscite permettent d'éprouver la rapidité des processus en cours depuis l'aube du siècle. Mais cela ne peut se comprendre sans une assez longue digression. Il nous faut en effet évoquer à grands traits [1] une brassée de livres magnifiques et récents qui constituent sans doute le plus bel ensemble de travaux historiques de cette décennie.

Les Temps Modernes, chacun le sait, ont vécu la réitération du massacre. Grâce à Emmanuel Le Roy Ladurie, puis à Frank Lestringant et à Denis Crouzet [2], on commence de bien percevoir la place centrale occupée par l'imaginaire et les pratiques du cannibalisme dans des conduites dont la cruauté nous est devenue proprement insupportable. Ce que les anthropologues baptisaient naguère « cannibalisme obsidional », « cannibalisme de famine », « cannibalisme de vengeance » ou, tout simplement, « cannibalisme criminel » s'entrecroisent pour engendrer l'horreur. « Le cannibalisme endogène » des mères sancerroises qui dévorent leurs enfants, les « foyes » de huguenots dévorés par les massacreurs, les fricassées d'oreilles d'hommes, les cœurs grillés sur les charbons lors de la Saint-Barthélemy, la mise à l'encan de la chair humaine dans la ville de Romans en 1580, les faits abominables survenus dans Paris assiégé en 1589 hantent la mémoire de ceux qui ont le goût de l'histoire vraie.

La compréhension du sens de ces forfaits, de ce scandale indépassable que constituent notamment « l'inceste alimentaire » et la lente dérive vers l'autophagie, implique la prise en compte de la portée symbolique et de la sacralité des comportements. Pour les hommes du

XVIe siècle, les actes de cannibalisme, par-delà ce qui pour nous en constitue l'horreur, paraissent manifestations « d'un dérèglement de l'ordre universel ». Dans un monde surchargé de « signes de Dieu » et de prodiges, tenaillé par l'obsession eschatologique, la symbolique religieuse unit le réel et les images en une inextricable confusion.

Le rituel du massacre, quant à lui, trouve son apogée dans la pratique catholique violente des guerres de Religion. Pour s'en tenir aux analyses de Denis Crouzet, une trilogie l'ordonne : dégrader et traîner le cadavre, le lapider, le brûler [3]. Ces gestes sont polysémiques. Dans un premier temps s'accomplit le dévoilement de l'abomination de la victime [4]; « le rite de violence fouille, en conséquence, au plus profond du corps » [4bis] pour en extraire l'idole de chair qu'il renferme. Tel est le sens de la mise à nu des viscères.

D'autres gestes relèvent du désir d'effectuer et d'attester tout à la fois la déshumanisation de la victime, telles ces « violences d'animalisation » destinées à démasquer la bête [5]. Mais ce rituel vise aussi à la « contemplation du théâtre merveilleux de la colère advenue de Dieu sur les cadavres marqués de signes théophaniques [6] ». Le massacre anticipe la violence imaginaire du châtiment infernal. Il est, à proprement parler, théâtre de l'enfer; la mutilation des visages présage le devenir du damné; tout comme le travail effectué sur le cadavre par la gueule dévorante des chiens.

Tout cela n'épuise pas le sens d'une violence qui peut encore être lue comme plaisir festif, comme rite d'apaisement et de purification [7], comme moyen de désarmer la colère divine, voire comme simple geste politique. Au cours du massacre de la Saint-Barthélemy, on le sait, le dessein initial d'exécution bascule dans la théâtralité d'un châtiment eschatologique infligé à l'hérétique.

A partir de 1580 et jusque vers la fin du siècle (1594), commence de s'opérer une prise de conscience de l'horreur de soi [8]. Les esprits éclairés éprouvent fortement la réduction de la distance qui naguère séparait le chrétien du sauvage cannibale. Dès lors s'esquissent une intériorisation et une déréalisation de la violence; s'entame une dérive des pulsions dionysiaques vers l'imaginaire. Le massacre tend à se réfugier dans l'écriture. La guerre, en outre, impose un déplacement du théâtre de l'horreur et un réaménagement des modalités de la cruauté. Notons ces processus; nous les trouverons à nouveau à l'œuvre entre 1792 et 1851. A ce propos, on pourrait dire que la Révolution rejoue les guerres de Religion.

Cette déréalisation de la violence, née de la culpabilité que celle-ci inspire, s'inscrit aisément dans le processus de contention, d'intériorisation des normes repéré naguère par Norbert Elias; il s'accorde à l'affaissement des conduites émotionnelles détecté par Lucien Febvre. Pour Denis Crouzet, il est prélude au triomphe de la rationalité moderne sur le sur-enchantement post-médiéval [9].

Le XVIIe et le XVIIIe siècle n'ignorent pas pour autant les vengeances strictement codées et les « mutilations cérémonieuses [10] » effectuées sur les cadavres. Il convient en effet de le souligner : les massacreurs n'agissent pas d'abord en tortionnaires; le rituel de la violence s'en prend surtout à la dépouille de la victime. Dénudation du corps, castration, mutilation des traits, extraction des yeux, découpe des membres, des pieds et des mains, décapitation demeurent pratiques fréquentes. La foule en colère traîne le cadavre, la face contre le pavé, vers le fleuve ou vers la voirie; elle entend le laisser sans sépulture. La tête, les membres ou les parties génitales sont promenés en un cortège bruyant, exposés en trophées.

A ce rituel du massacre correspond « le système sacrificiel » du supplice [11]. Ce dernier se doit d'être profanation / exécration mais aussi expiation / purification. Le supplice du criminel efface le sacrilège; il est sacrifice qui marque la réconciliation avec Dieu, qui opère la resocialisation par le pouvoir purificateur et régénérateur du sang versé. Les tourments retournent le meurtre en moyen de salut; ils traduisent l'espoir de métamorphoser le monstre insensible en martyr; de transmuer le coupable larron en un saint rayonnant dont la foule s'arrachera les sanglantes reliques.

Le théâtre du supplice constitue le lieu sacré sur lequel vient s'épancher le sang impur, sous les yeux attentifs d'un groupe momentané, soudé par l'importance saisissante de l'acte. Ce peut être un foirail, ou bien la place d'un marché auquel assistent femmes et enfants, comme ce fut le cas à Caen en 1760. La foule vient ici vivre une agonie, contempler « le grand acte de mourir en public au milieu des tourments [12] ». L'exécution fournit aussi l'occasion d'une fête; on joue, on boit, on se bat à proximité de l'échafaud. Le supplice, minutieusement réglé, fait vibrer un savant système d'émotions.

Mais peu à peu monte le sentiment d'horreur, qui défait la cohérence des rituels associés du massacre et du supplice. Les gestes du premier s'appauvrissent lentement [13]; certaines bonnes âmes trouvent insupportables les onze heures de tourments infligés au malheureux Damiens [14]. La curiosité de la foule commence de paraître inqualifiable cruauté. Bref, l'humanitarisme des Lumières est à l'œuvre; une nouvelle sensibilité lève qui disqualifie les rituels anciens de la souffrance et de la découpe des corps.

L'âme sensible vit une expérience neuve de la douleur [15], qui accentue la peur de souffrir. Une autre image de l'homme se dessine dans la trame d'un discours humanitaire qui déborde la littérature romanesque et dramatique pour envahir le langage de la médecine [16]. Le compte rendu de la dissection, lui-même, témoigne de ce basculement. Cependant, s'opère une lente désacralisation du monde. Celle-ci provoque la contestation, l'affaissement, l'évacuation de la notion de sacrilège; elle disqualifie le système sacrificiel du supplice et relègue le massacre dans la sphère de l'horreur. Les deux temps forts du rituel de la violence dépérissent, victimes d'une perte de sens.

Privé de ses références au sacré, le massacre n'est plus que le point extrême du scandale de l'âme sensible. Il fait ressentir au spectateur imprégné de l'esprit des Lumières la distance anthropologique qui le sépare de la foule violente. Il provoque la saisie brutale de ce qu'il y a d'exorbitant en l'homme, et donc en soi. Bref, il inspire l'horreur [17]; cette révolte de l'être confronté à l'abject, qui éprouve les confins menaçants de l'animalité. Le scandale du massacre résulte moins de l'épanchement du sang que de la production immédiate de cadavre(s), dans l'absence totale d'ordre et de système. A la différence du supplice, fidèle malgré tout au rituel, le massacre tend à n'être plus que confusion, absence de recours; il se déroule dans le vide. Or, le XVIIIe siècle, tenaillé par l'effroi [18], éprouve une horreur nouvelle face à la mort inopinée.

Le massacre, son spectacle, son récit permettent à l'âme sensible de ressentir plus fortement que naguère les clivages sociaux. La révolte qu'il inspire s'imprègne de dégoût à l'égard d'une humanité qui atteste, par son geste, sa proximité animale. Il aide au dessin d'une tourbe sanglante, d'un vil marais humain. Le massacre suggère l'assimilation de ceux qui l'accomplissent à la charogne et à l'excrément qu'il produit.

Alors commence de se dire que le spectacle de l'horreur déprave; qu'il pervertit les sens [19]. Depuis l'aube du siècle, on le sait, monte la critique de la torture et de la peine de mort, s'opère un retournement de la figure du monstre. Lentement, le corps cesse d'être objet de tourment, tandis qu'il se fait, avec de plus en plus d'intensité, fascinant objet d'investigation [20]. Alors se dessine le nouveau système punitif repéré naguère par Michel Foucault. L'administration de la mise à mort, tout entière, tend à se rénover.

D'où l'importance de la Révolution. Celle-ci se situe en un point d'articulation de l'histoire de la sensibilité; immense jardin des massacres et des supplices, elle survient au moment où le système sacrificiel se défait; et elle en accélère le dépérissement. Les forces et les formes anciennes du massacre se trouvent brusquement libérées au moment où, comme les tourments, celui-ci est devenu intolérable aux individus qui incarnent la nouvelle sensibilité.

1792 constitue à ce point de vue la ligne de partage [21]; année fascinante durant laquelle coexistent la liesse du massacre et l'expression de la sensibilité nouvelle qui ne peut en soutenir le spectacle. Nous avons déjà évoqué les soixante-cinq meurtres collectifs répertoriés dans les profondeurs de la province par le méticuleux Pierre Caron. Chacun d'eux démontre la résurgence de l'ancien rituel du massacre. Empruntons à Bernard Conein [22], le meilleur analyste de ce processus, quelques exemples destinés à faire comprendre notre propos. C'est la mise à mort et la découpe des corps par la foule en colère qui saisissent d'horreur l'âme sensible confrontée à l'irruption du barbare anonyme et aveugle, à l'œuvre au sein d'une société brusquement libérée de nombre de ses repères symboliques [23].

Le 22 juillet 1789 déjà, lorsqu'un dragon porte à l'Hôtel de Ville « un morceau de chair ensanglanté » et déclare : « Voilà le cœur de Bertier! », « Nous avons détourné la vue, écrit un témoin, et on l'a fait retirer [24]. » Nombreuses sont les scènes d'un tel face-à-face qui met à nu le contraste des sensibilités [25].

En 1792, les massacreurs jouissent et le disent aux autorités, sans retenue aucune. L'un de ceux du comte Saillans le proclame dans la lettre qu'il adresse aux officiers municipaux de Largentière, le 12 juillet. Parlant du « monstre » et de ses compagnons : « Ils ont été tués, notet-il, d'une belle manière, décollés. Nous avons les têtes, Tournett a eu la gloire le premier à frapper, jamais exécution plus belle et plus agréable! Les chefs demandaient de les livrer à la justice, nous avons tous crié comme des diables : " Point de justice, point de prison " [25bis]. »

Mais, dans le même temps, le « champ du carnage », pour reprendre une expression de Pétion, est insupportable à beaucoup. Les ténors s'efforcent de faire parler le langage de la justice et de l'humanité; le « peuple forcené » ne veut ou ne peut, hélas! l'entendre; et l'on se souvient des mots prononcés par Manuel à l'Abbaye, en septembre 1792 : « Monté sur un tas de cadavres, je prêchai le respect de la Loi [26]. »

Les 9 et 10 septembre de cette même année, les prisonniers détenus dans la ville d'Orléans sont massacrés. L'autorité du maire ne peut rien contre l'emportement du peuple; l'horreur du spectacle le sidère : « Il veut parler, les sanglots étouffent sa voix, il se couvre la tête, on l'enlève, il voit le massacre, il perd connaissance, on le transporte dans une maison, il reprend ses sens, il veut sortir, il est retenu, il dit que s'il est des hommes qui se déshonorent, il veut mourir pour la Loi [...]. Il sort, un spectacle d'horreur frappe tous ses sens. Le sang, la mort, des cris plaintifs, des hurlements affreux, des membres épars [...] [27]. » Cet extrait du procès-verbal, digne du songe d'Athalie, indique mieux que tout l'intensité de la confrontation qui impose l'horreur dans la saisie brutale de la distance anthropologique.

Mais dès la fin de cette année, s'effacent ces modalités populaires de la mise à mort publique, tandis que le supplice, sacralisé et tragique, cède la place à un « système de l'utilité (sociale), sécularisé et moralisé [28] ». Ces nouvelles modalités de l'exécution ont été magnifiquement analysées par Daniel Arasse [29]. La guillotine autorise la justice prompte; en cela, elle satisfait les sans-culottes.

Elle permet les exécutions en série; elle dispense donc du massacre [30]. Surtout, la « lame austère » enregistre l'attitude nouvelle à l'égard de la douleur. Par son instantanéité, elle abolit la souffrance; du moins on le pense [31]. Elle met fin au long spectacle du tourment et de l'agonie; elle désacralise la mort du coupable; elle évite la dépravation des sens du spectateur. Elle réduit à son minimum l'horreur de la mise à mort. Le théâtre de l'échafaud, par son absence de débordement, se fait lieu pédagogique. Il ne prive pas la victime d'un éventuel repentir; il suscite même une abondante littérature de dernières paroles [32]. Tout un discours *ante mortem* déplace le temps de la production du martyr. Le sacré, en effet, ne se laisse pas facilement évacuer; il se glisse dans les interstices du rituel nouveau, mais cela est une autre histoire...

Si l'on excepte, bien entendu, la cruauté qui se déploie, à partir de 1793, sur le théâtre de la guerre de Vendée [33], le massacre régresse, sur l'ensemble du territoire, à partir de l'hiver 1792, tandis que se met en place la Terreur. Certes, le « peuple forcené » s'agitera encore de quelques soubresauts; mais le processus qui conduit à Hautefaye s'inaugure au lendemain de Thermidor. On commence alors de porter le regard en arrière sur les *cannibales* des années précédentes [34]. A partir de l'été 1794, une abondante *littérature du massacre,* un *intarissable discours de l'horreur* convoque la monstruosité de tous les tyrans buveurs de sang – Caligula, Néron, Caracalla, Héliogabale... – pour mieux écraser sous la réprobation publique les « monstres » de la Révolution. Alors se constitue le long martyrologe dont la mémoire collective portera durablement la trace; dans un camp comme dans l'autre.

L.M. Prudhomme [35], et ce n'est là qu'un exemple, a ainsi entrepris de « donner les tableaux effrayants des boucheries » à « l'âme navrée du lecteur ». Il a décidé, par devoir, de « fouiller dans ce cloaque infect d'horreurs de toute espèce [36] », comme bientôt Parent-Duchâtelet le fera dans les égouts de la grande ville. Il en retire le pire. Il présente le massacre de Belzunce, qui s'est déroulé à Caen, le 11 août 1789, comme une scène annexe de la Saint-Barthélemy ou, plutôt, comme un nouvel épilogue du supplice de Ravaillac : « On dépeça son cadavre; sa tête fut portée au haut d'un bâton, comme on avait fait à Paris; mais ce qu'on ne vit point dans la capitale, c'est que beaucoup de citoyens de Caen voulurent avoir un lambeau de sa chair; beaucoup en emportèrent dans leur poche; d'autres firent précéder le spectacle de sa tête par la vue de ses entrailles attachées au haut d'une pique en guise de rubans. Un homme, ou plutôt un sauvage, envoya un morceau de sa chair à un four de boulanger pour être cuite et pour en faire un repas de famille. Une sage-femme alla plus loin; elle n'eut point de relâche qu'elle n'eût obtenu un fragment des parties sexuelles de la victime, qu'elle conserva dans un bocal rempli d'esprit de vin [37]. »

Cette longue citation a pour but de montrer la férocité des images qui commencent de peser sur les mémoires. Sans bien connaître l'intensité de cette rhétorique de l'horreur, on ne peut comprendre les attitudes politiques du siècle suivant.

L'émeute de prairial an III et la décapitation du malheureux Féraud, dont la tête est promenée, des heures durant, autour de la Convention, nous intéressent ici particulièrement. L'épisode constitue le premier exemple de massacre rituel, à l'ancienne pourrait-on dire, déjà analysé par l'ensemble du corps social comme une scène de « cannibalisme » venue des profondeurs d'un autre âge. Il s'agit, semble-t-il, du premier meurtre collectif qui suscite ouvertement ce sentiment d'étrangeté que l'on retrouve au centre de l'affaire de Hautefaye.

En revanche, l'analyse attentive des meurtres de la Terreur Blanche révèle la rapidité de l'évolution. Les tueurs de 1815 empruntent peu au rituel qui dictait naguère la liesse et les gestes de la foule massacreuse. Contrairement à ceux qui opéraient en 1792, ils découpent rarement les cadavres; ils n'en exhibent plus les morceaux en trophées; tout au plus esquissent-ils parfois des actes de dégradation, comme ce fut le cas lors du meurtre du maréchal Brune. Les violences d'un *Trestaillons* ou d'un *Quatre-taillons,* entre Nîmes et Uzès, s'apparentent à celles de chefs de brigands animés par le désir de vengeance et l'appât du butin. Quant à la cruauté dont font preuve les « verdets » de Toulouse à l'égard du général Ramel, elle relève plus du supplice que du massacre [38].

Entre le retour des Bourbons et l'épisode périgourdin, la sensibilité a continué de s'aviver. Les nouvelles modalités d'appréciation de la douleur se diffusent et s'approfondissent [39]. Dans le prolongement du message des Idéologues, notamment de Cabanis, l'écoute de soi se fait plus attentive [40]. L'individu, habitué à suivre les messages de sa cénesthésie, à entendre la rumeur de ses viscères, réserve à la douleur un accueil plus frileux. Mais comme le processus ne s'accomplit pas au même rythme dans tous les milieux, les clivages de nature anthropologique se déplacent au sein de la société.

Au fil des décennies, progresse l'analgésie. A partir de 1846, l'anesthésie fait irruption [41]; elle accélère l'abaissement des seuils de tolérance au mal; elle avive du même coup la peur de souffrir.

Dans l'ensemble du corps social, le spectacle de la douleur comme celui de l'épanchement du sang, s'estompent peu à peu. L'abattage tend à s'opérer dans la clandestinité [42]; on l'exile loin du centre des villes et des commerces de détail. On interdit d'égorger et de faire couler le sang dans la rue; on réglemente le transport des carcasses. A partir de l'Empire, l'administration innocente ainsi la boucherie [43]; elle rend « invisible le lien entre la mort sanglante et la viande »; elle vise à priver l'abattage de toute dimension sacrificielle ou festive. En 1833, les combats d'animaux sont prohibés à l'intérieur de Paris; en 1850, la loi Grammont interdit la violence publique à l'encontre des bêtes [44].

Dans le même temps, disparaissent les dernières formes de tourments infligés aux coupables. La marque au fer rouge est abolie en 1832. L'exposition au pilori s'interrompt en 1848. Seul demeure public le spectacle de la guillotine [45]. Mais à Paris, en 1832, il est transféré du voisinage de l'Hôtel de Ville à la barrière Saint-Jacques; le déplacement met fin au spectacle de l'expiation « en grève ».

Philippe Ariès a minutieusement retracé l'ascension du culte des morts, parallèle à cette multiplication des signes d'humanité [46]. Le cadavre disséqué devient l'objet d'un respect nouveau [47]. Reste que le spectacle macabre fascine. La visite de la morgue demeure, durant tout le siècle, un passe-temps fort apprécié [48], seule entorse à la montée de la nouvelle sensibilité à l'égard de la souffrance, de la contagion, de la mort, du déchet.

Au cours du XIXe siècle, a-t-on coutume de répéter, un processus d'atténuation de la violence est à l'œuvre. Dans *Le Siècle de Louis XIV* déjà, Voltaire prédisait que le mouvement de l'histoire serait marqué par la disparition progressive de celle-ci. De Norbert Elias [49] à Richard Tilly, nombre de spécialistes contemporains ont, chacun à leur manière, analysé et interprété ce lent dépérissement. Il convient toutefois d'être prudents. Le plus clair n'est pas tant l'effacement de la violence que *la montée de l'intolérance à la lisibilité de la cruauté collective* [50]. Au XIXe siècle, cette dernière persiste et, sans doute, s'amplifie; mais sa configuration se modifie. Ce temps des grands carnages, des immenses champs de bataille et des holocaustes de la répression – entre 1 700 et 3 000 morts à Paris en juin 1848, entre 20 et 25 000 en mai 1871 – oppose un refus de plus en plus catégorique à tout agissement de la foule massacreuse. L'ascension des exigences sécuritaires au sein de l'espace public, le besoin accru de protection contre tout ce qui risque de transgresser la barrière de la sphère privée avivent la détestation de cette violence confuse, qu'accompagne l'irruption brutale de la mort; ils imposent plus catégoriquement que naguère l'expulsion du monstre.

La libération des forces incompréhensibles et aveugles en œuvre dans le massacre devient intolérable et, à proprement parler, obscène, tout comme le dévoilement public de la nudité ou l'égorgement du porc en pleine rue. Le passé, somme toute proche (1792), s'enfuit avec rapidité et paraît brusquement relégué dans un lointain féroce. Les hommes du XIXe siècle jettent vite un regard étonné sur l'étrange cruauté des générations qui les ont précédés. « Seul (pensent-ils) un autre peuple, une autre civilisation a pu se livrer à de tels agissements [51]. » « Le XIXe siècle, ajoute Pierre Rétat à propos des tourments infligés à Damiens, fonde sa propre dignité dans le rejet formel d'une telle filiation. » Face au récit du massacre ou du supplice, « l'indignation naît de la proximité de l'événement, plus que de son déroulement même ».

Il importe désormais de se distancier; d'attester l'altérité de ce barbare dont on éprouve intensément l'étrange proximité; d'accélérer la dérive qui emporte loin de ce temps où, sans dégoût, l'épanchement du sang et le raffinement de la souffrance se donnaient en spectacle. « Il nous importait beaucoup, écrit le républicain Armand Carrel [52], le 7 décembre 1831, qu'un exemple de plus vînt démontrer que le peuple de 1791, ce peuple à intelligence épaisse [...], que l'atroce populace de 1793 [...] est maintenant à deux siècles de nous. » Le militant démocrate ne peut comprendre que le peuple de 1789 et de 1792, assommeur de Foulon, massacreur des Carmes, ne puisse être distingué de celui de la fête fraternelle de la Fédération.

Le XIXe siècle ne cesse d'exorciser l'irruption des pulsions dionysiaques du massacre par l'accentuation des traits de la figure du monstre.

L'horreur du « cannibale », dont la mémoire collective conserve anxieusement la trace, croît au même rythme que le sentiment de distance anthropologique à l'égard du passé récent, ce « désert d'épouvante » dont parle Edgar Quinet. L'amplification de l'horreur accompagne le réaménagement de la sensibilité. Révélatrice à ce propos l'évolution de la structure du récit du supplice de Damiens, tel que la retrace Pierre Rétat. Sous le Second Empire, l'aspect judiciaire de l'événement s'efface; seule reste à nu « la hideuse vision de la torture [53] ». De la même manière, les études effectuées par Georges Benrekassa révèlent l'ascension du thème monstrueux dans les représentations du personnage de Marat [54]. Sous la monarchie de Juillet déjà, l'ami du peuple se fait reptile, tapi dans l'égout immonde dont il a fait sa tanière; cette bête nocturne, buvant le sang, vomissant l'écume et la sueur, devient symbole de la tourbe informe, porteuse de la torche. « Ne plaisantons pas avec ces crimes, lit-on dans le *Journal des Débats* le 19 juillet 1847, ne jouons pas avec ces haches, ne fouillons pas dans ce feu mal éteint [...]. Silence! Le tigre n'est pas mort, il est accroupi dans son antre; ne le réveillez pas, il pourrait vous dévorer [55]. » Il faudra attendre encore quelques décennies pour que la légende noire de Marat délaisse la tératologie pour s'installer sur le terrain de la pathologie mentale.

La sensibilité nouvelle fait, plus que tout, redouter la cruauté de la « tourbe » impitoyable. L'imaginaire social qui conforte l'angoisse se fonde moins sur la conscience d'une dangerosité que sur la conviction d'une différence anthropologique radicale. Le peuple menaçant, au sein duquel l'individu ne peut que difficilement accéder au statut de personne, cet « infini d'en-bas [56] », n'appartient pas encore totalement à l'humanité.

Nombreuses sont les tactiques qui visent à exorciser l'horreur. La première consiste, comme jadis, à cantonner celle-ci dans l'imaginaire. Les spécialistes de la littérature de l'horrible, tel Mario Praz [57], sans parler des analystes de l'héritage sadien, ont abondamment étudié les modalités de cette dérive compensatrice. Moins nombreuses, hélas!, se révélent les études consacrées à l'ascension des exigences sécuritaires et à l'élaboration de nouvelles tactiques de maintien de l'ordre [58]. La modernité du carnage urbain par « le sabre » et par le canon se révèle brutalement en vendémiaire [59].

Le massacre du XIXe siècle, qui exorcise la menace du peuple forcené, est un événement ordonné, réglé sur les images de la bataille et du champ d'honneur. Il inflige une mort instantanée; il a perdu les traits qui l'apparentaient au supplice; le rituel en est simplifié; le récit s'en fait elliptique; on se hâte d'en effacer la trace. Ce bain de sang toléré, sans triomphalisme, apaise et rassure. Les historiens n'ont pas suffisamment réfléchi à la signification de la réitération du massacre fondateur dans la France du XIXe siècle. Les événements violents (1831-1835, juin 1848, décembre 1851, mai 1871) sont perçus et analysés, à juste titre, comme les épisodes successifs d'un même processus révolutionnaire; l'écrasement des mouvements de masse est interprété comme la simple manifestation d'une volonté de répression. Mais, par-delà ces réalités, tout se passe comme si un régime ne pouvait alors se fonder solidement qu'en prouvant sa capacité à se baigner dans le sang du monstre, c'est-à-dire du peuple menaçant et de la foule perçue comme forcenée. On oublie que la fonction du massacre n'est pas que de réprimer; elle est aussi d'apaiser les tensions, de rétablir l'harmonie collective à l'issue d'une période d'angoisse [60]. Bref, exorciser la peur sociale, c'est-à-dire l'horreur inspirée aux membres des classes dominantes par la distance anthropologique qui sépare de l'Autre menaçant, tel semble le moteur des attitudes politiques du pouvoir en un siècle à propos duquel il serait paradoxal de prétendre que la violence collective s'atténue.

Mais il est alors d'autres façons d'exorciser l'horreur inspirée par le souvenir du cauchemar et l'angoisse produite par la crainte de sa réitération. Au lendemain de Thermidor germe le projet de « civiliser » le peuple pour en changer la nature profonde [61]. Le pouvoir, au XIXe siècle, n'abandonne pas, bien loin de là, cette visée pédagogique. Nombreuses sont les procédures qui tendent à « civiliser » ou bien à héroïser et, partant, à exalter le bon peuple; ce qui revient à mieux délimiter les contours du reste, c'est-à-dire de ce peuple égaré auquel tend à se réduire la masse étrange et menaçante [62]. Le livre de Louis Chevalier consacré aux classes laborieuses, vicieuses et dangereuses ne peut se lire indépendamment du catalogue de ces procédures qui dessinent les contours d'un bon peuple, laborieux, sain, moral et généreux [63]. En témoigne, à titre d'exemple, la succession des figures imaginaires qui s'opère entre l'été 1830 et le printemps 1832. David Pinkney, entre autres [64], a retracé les efforts accomplis par le pouvoir pour héroïser le peuple de Juillet, dont les restes seront, dix ans plus tard, enfouis sous la colonne édifiée place de la Bastille [65]. Médailles de Juillet, croix de Juillet, récompenses diverses concourent à cette même entreprise d'exaltation des martyrs de la liberté. Cependant, ce même régime assimile quelques mois plus tard le peuple des faubourgs à une horde de nouveaux sauvages qui assiègent et menacent la cité. La perception de l'échec temporaire de la métamorphose provoque l'inversion des représentations.

Après la fusillade du boulevard des Capucines, la mise en scène du cadavre des victimes, spontanément héroïsées, fait se lever le peuple et une partie de la bourgeoisie de Paris, dans la nuit du 23 au 24 février 1848 [66]. Mais, quelques mois plus tard, quand cette coalition se défait, le peuple de cette insurrection de juin, dans laquelle Tocqueville perçoit la réitération des antiques guerres serviles, sera massacré à son tour. Flots de sang qui sanctionnent l'échec d'un prolixe discours et d'ostensibles pratiques de la fraternité, dans lesquels on peut percevoir le même désir d'exorciser les fantômes de la peur sociale [67].

Dans Clamecy, en décembre 1851, les leaders démocrates-socialistes, membres de la petite bourgeoisie, sont atterrés et baissent les bras quand ils constatent que la troupe d'insurgés qu'ils conduisent s'est métamorphosée, par le massacre du gendarme Bidan, en une foule de forcenés qui actualise le cauchemar [68]. L'on pourrait multiplier les exemples de tels basculements des représentations, aussi déterminants que les modifications opérées dans la composition sociale des effectifs insurgés.

Depuis 1871, à peu d'exceptions près, le travail des historiens tend à faire du siècle dernier une histoire qui vide l'événement de sa violence et de son âpreté. On pourrait, à juste titre, parler d'une *déréalisation* de l'histoire des temps postérieurs à la Révolution. Les carnages sont pasteurisés; le sang des révolutions soigneusement lavé, pour que seule demeure l'auréole diaphane des martyrs [69].

Il importerait de saisir le sens et la fonction de cette peur de salir par le dévoilement du réel qui distingue si franchement les historiens du XIXe siècle de leurs collègues. Tout se passe comme si les premiers, saisis d'une pudeur effarouchée, s'employaient, comme les hommes qu'ils étudient, au recouvrement soigneux de l'horreur. Nous ne savons pratiquement rien des foules massacreuses du

XIXe siècle, et bien peu des pratiques meurtrières des forces du maintien de l'ordre; l'édulcoration de la narration ne laisse aucune place à la cruauté. Seul semble importer de situer la foule sur l'échelle de la misère; de l'inscrire dans le cours d'un même processus révolutionnaire; de mesurer son degré de conscience politique.

Cette histoire pudibonde et douce, obsédée par le désir de distinguer soigneusement les bons et les méchants, conduit à fondre paradoxalement le carnage et les différents types de massacres dans la linéarité molle, incolore d'un discours historique édulcoré; elle décapite l'histoire des représentations; elle disqualifie a priori toute tentative en vue de discerner l'évolution des sensibilités collectives; elle bloque la quête des figures de l'horreur et des pratiques de la cruauté.

Mais revenons au sourd cheminement du souvenir du monstre, tel qu'il s'effectue depuis Thermidor. Les traces de l'obsession du « cannibale » abondent mais ce n'est pas le lieu d'en traiter [70]. Jean-Pierre Peter a depuis longtemps évoqué les ogres d'archives de la Restauration et leur pratique de l'inceste alimentaire [71]. Toute la chronique judiciaire du temps n'est que galerie de monstres; et l'on sait le retentissement du crime abominable du matricide Pierre Rivière [72]. Les anthropophages du radeau de *la Méduse* jettent un temps l'épouvante [73]. Les préfets ne cessent de vitupérer les « hordes de sauvages », les « habitudes barbares » des terribles paysans du Lot dont les jeunesses s'entre-tuent [74]. En 1832, au plus fort de l'épidémie de choléra-morbus, la foule parisienne massacre de malheureux passants qu'elle accuse d'empoisonner le peuple; ce faisant, elle renoue avec les anciens démons, sous l'œil horrifié des témoins [75]. L'avènement de la République s'accompagne du saccage des habitations juives en Alsace [76]. En juin 1848, on parle dans Paris de gardes mobiles sciés entre deux planches. Ces sanglantes journées alimentent, à proprement parler, les cauchemars de la bourgeoisie. En décembre 1851, la rumeur parisienne métamorphose l'insurrection de Clamecy en véritable saturnale; chez la princesse Mathilde, assure Viel-Castel, on parle de trente-huit jeunes femmes violées collectivement par des vénériens, sous l'œil attristé de prêtres attachés à des poteaux de torture [77]. Et ce ne sont là, bien entendu, qu'exemples disparates qu'il conviendrait un jour de multiplier et de nouer en une étude approfondie. Bref, la réception du supplice de Hautefaye, comme celle du massacre de la rue Haxo, les récits de la violence des pétroleuses ou des belles dames qui crèvent, de leurs ombrelles acérées, les yeux des prisonniers de la Commune s'inscrivent dans une histoire des pratiques de la cruauté et dans une logique de l'imaginaire, que seule une étude anthropologique attentive aux représentations pourra un jour mettre en évidence.

Mais, d'ores et déjà, il apparaît que Hautefaye se distingue par une exceptionnelle richesse sémantique. Sur le foirail de cette bourgade du Nontronnais, les fantômes des cannibales se mêlent confusément à ceux des « Jacques »; tandis que déjà l'imaginaire de l'effroi dérive de la tératologie vers la savante psychologie des foules. Hautefaye hisse à son maximum le sentiment d'étrangeté produit par la proximité du monstre monté des profondeurs du passé. En ce temps de massacres immenses, cet unique supplice échappe à toutes les tactiques de l'exorcisme; il porte l'horreur à son comble parce qu'il met naïvement à nu des pulsions dionysiaques que l'on croyait à jamais disparues.

II – *La statue de charbon*

Les clivages politiques se révèlent de peu de poids quand resurgissent ces fantômes. Le frémissement d'horreur devant cette béance, rappel de la nature effrayante de l'homme, qui vient nier le long et difficile travail d'autocontention opéré dans le tréfonds des êtres, réunit le corps social dans une crispation défensive. Sitôt connu, le supplice de Hautefaye semble l'horreur absolue. Les carnages effroyables de la guerre, les affres du siège, les histoires de francs-tireurs brûlés vifs à Châteaudun ainsi que la gêne éprouvée par les républicains contribueront certes à en atténuer le retentissement; mais ils ne suffiront pas à celer le saisissement produit par l'étrange métamorphose de bons paysans en monstres insensibles.

Ceux-ci, le 20 août, pouvaient lire leur portrait dans *le Nontronnais :* des « cannibales », « ivres de sang », « foule abrutie », « êtres à figure humaine » qui ont osé mettre le feu à leur semblable, « crime atroce qui nous reporte d'emblée à la jacquerie du Moyen Age ». Déjà l'avant-veille, dans le département voisin, *le Charentais* avait dénoncé « le crime épouvantable », « l'acte de barbarie atroce », les « scènes de sauvagerie », tout en proposant un récit fantaisiste de l'événement. Le 23 août, l'officiel *Moniteur* dénonce « l'horreur » du supplice. Pour Alcide Dusolier, il s'agit bien de « sauvages » [78]. La complainte, genre traditionnel alors en voie d'épuisement, coule l'acte politique de Hautefaye dans le moule des grands crimes individuels. Sur « l'air de Fualdès », l'on chante, en patois, durant l'automne 1870, les « tristes horreurs » du village de la Dordogne [79].

Par-delà l'invective et la répulsion instinctive, l'analyse serrée révèle l'intolérable : contrairement à ceux de Buzançais et de Clamecy, le massacre périgourdin a ressuscité le raffinement du supplice. La littérature romantique ressassait les forfaits nocturnes, se délectait des monstres tapis dans les replis de l'ombre; le drame de Hautefaye étale au grand jour la naïveté de sa barbarie. Il perturbe, il outrepasse les figures de l'horreur. « Le meurtre de Fualdès, écrit Charles Ponsac [80], n'a de plus que le meurtre de Monsieur de Monéys que le mystère. Mais il est à coup sûr moins terrible et moins effrayant. Et c'est justement le plein ciel et le grand air qui rendent l'assassinat de Monsieur de Monéys plus sinistre. » La société englobante a vite oublié que la violence de la paysannerie du Centre se veut, par tradition, diurne; que loin de se cacher, elle tend à se déployer sous les yeux du plus grand nombre possible de spectateurs [81].

Le forfait s'est accompli dans la liesse. « Comme ceux de *Robinson Crusoë,* les cannibales » ont dansé autour du cadavre; et cela en présence du maire, symbole de l'autorité subvertie, réduite à l'impuissance. Les paysans du foirail n'ont pas respecté leur victime; ils l'ont dégradée; ils l'ont réduite au statut de la bête. Le 13 février 1871, *l'Écho de la Dordogne* rappelle encore le forfait inouï perpétré par des paysans, contre Monsieur de Monéys, « qu'ils avaient fait rôtir comme un vil animal ».

La littérature produite vise plus à l'horreur qu'à l'apitoiement. Cependant, le rapport de l'autopsie, effectuée dès le 16 août au soir par le docteur Roby-Pavillon, constitue un exemple saisissant de pénétration du discours scientifique, qui prétend au réel, par le langage humanitariste, suggéré par l'imaginaire. Il fait se dresser sous les yeux du lecteur une pitoyable statue de charbon, figée dans les gestes de l'imploration :

« Cadavre presque entièrement carbonisé et couché sur le dos, la face un peu tournée vers le ciel, à gauche, les membres inférieurs écartés, la main droite raidie au-dessus de la tête, comme pour implorer, la main gauche ramenée vers l'épaule correspondante et étalée, comme pour demander grâce; les traits du visage exprimant la douleur, le tronc tordu et ramené en arrière : telle est l'attitude que les flammes ont en quelque sorte saisie sur place et conservée à la justice, pour lui dire les dernières angoisses d'Alain de Monéys [82]. »

Cette statue, après l'autopsie, a été déposée dans deux draps de lit, en présence de la mère de la victime et de son frère, l'abbé de Monéys. Puis les restes charbonneux ont été transportés « sur le brancard des morts » à l'intérieur de l'église. Le soir, ils ont été enfermés dans un cercueil, avant d'être inhumés à Beaussac, le lendemain.

Dans l'esprit des aristocrates de la région, l'horreur et la peur s'additionnent. Le 22 août, l'oncle de la victime écrit à Jules de Verneilh, un noble de la région, que sa fille vient « d'arracher des mains de ces cannibales tous les Monéis de Bretanges et (de) les abriter sous les mains protectrices de la justice de Bordeaux [83] ». Dans le voisinage de Hautefaye, le soir du drame, Les Monéys, les Saint-Cyr, les Conan, les Bellussière s'étaient mis en défense [84], avec l'aide de voisins, d'amis, de domestiques et de métayers. Le *Nontronnais* du 20 août fait allusion, sans plus de précisions, à quelques tentatives effectuées contre des maisons de campagne. Il faut dire que les plus décidés des massacreurs n'entendaient pas s'en tenir là, au soir du 16 août [85].

Le fantôme des « Jacques » hante longtemps l'aristocratie. Le 7 mai 1872, dans une lettre qu'il adresse à Mazerat, représentant de la Dordogne, Monsieur de Lasfond, propriétaire du château de Poutignac, écrit que, si l'on n'y prend garde, Hautefaye va devenir « le cœur de la jacquerie qui nous menace sérieusement ici ». « Nos paysans, ajoute-t-il, sont napoléoniens ou Jacquou [86]. »

L'anxiété semble tout aussi vive à la sous-préfecture. Au lendemain du drame, Nontron organise sa défense afin de se mettre à l'abri de l'éventuelle incursion d'une « horde paysanne » semblable à celle qui, vingt et un ans auparavant, s'était emparée de Gourdon. Des rumeurs circulent qui font état de tentatives en vue de délivrer les prisonniers; « les jeunes gens de la cité, lit-on le 27 août dans *l'Écho de la Dordogne,* se sont organisés en garde civique et se sont mis à la disposition du commandant de la gendarmerie pour lui prêter main forte ».

En septembre, lors de l'audience au cours de laquelle sera décidé le renvoi, plus de cinq cents personnes se pressent au tribunal de Périgueux, dans l'espoir d'apercevoir la « horde sanguinaire » [87]. Le 13 décembre, quand s'ouvrent les assises, la salle est comble. Malgré les nouvelles tragiques de la guerre, elle ne désemplit pas jusqu'à l'énoncé du verdict, le 21 décembre. « Les places réservées qui sont disposées dans l'hémicycle, derrière le fauteuil du président, sont toutes occupées par des dames [88]. » Évariste Lestibeaudois, qui a laissé de savoureux croquis d'audience destinés à *l'Écho de la Dordogne,* parle, pour sa part, « d'opulentes bourgeoises venues là comme au spectacle ». Il ajoute : « Il faut dire que notre théâtre est fermé depuis le début des hostilités [89]. » Les conversations témoignent de la « profonde horreur ». On « se montre avec dégoût » [90], les pièces à conviction, notamment les deux pierres plates sur lesquelles a coulé la graisse de la victime. Alcide Dusolier n'oubliera pas de les avoir contemplées au greffe [91].

Les croquis d'audience peignent les monstres en cage. A la lecture de l'acte d'accusation, ceux-ci opposent une « physionomie hébétée et inerte ». « Ils semblent étrangers à l'épouvantable drame » et demeurent « impassibles » [92]. Lors d'une des dernières audiences, Ponsac croque ces brutes, à l'insensibilité animale : « Chambort s'accoude et met sa tête entre ses mains [...], Campot Jeune, son mouchoir à la main, penche sa tête sur son bras gauche [...], Buisson courbe sa tête, et ne laisse voir que son nez proéminent; Piarrouty, une tête de mort; sa peau est livide; ses yeux éteints restent fixés à terre; il paraît *insensible et hébêté;* Mazière, *une tête de blaireau* qui cherche à se perdre parmi ses coaccusés. On ne voit que ses yeux et son menton pointu. »

L'Écho de la Dordogne expliquait déjà le 28 septembre : « Tous ont l'attitude, la physionomie, la tenue des *paysans incivilisés et pauvres des confins* de notre département, qui touchent à la Charente et à la Haute-Vienne. » Ainsi se dessine l'interprétation fondée sur la primitivité, sur le recours au primordial, à la fissure tellurique qui met en contact le passé lointain de l'humanité avec cette tragique année 1870; alors que, nous le savons, un décalage de quelques décennies seulement aurait suffi à faire considérer comme assez banal le comportement de ces paysans.

Mais déjà, au fil des audiences, se profile la référence à la psychologie des foules. D'entrée de jeu, les avocats tentent de démontrer qu'il s'agit d'un crime collectif; trois cents personnes au moins ont participé au meurtre; de ce fait, leurs clients ne sont que des boucs émissaires [93]. Les accusés se retranchent derrière la responsabilité du groupe. Léonard Lamongie estime « qu'il a été poussé par la foule ». Campot aîné reconnaît qu'au sortir de l'étable à moutons il tenait Monsieur de Monéys mais, ajoute-t-il, « je ne le frappais pas, c'était la foule qui le *bourrait* ». Chambort, le meneur, confesse : « J'étais égaré. Cette foule en fureur [...] m'a exalté et m'a fait perdre la raison [94]. »

En janvier 1871, dans la requête qu'ils adressent à Crémieux, le ministre de la Justice, dans l'espoir d'obtenir un pourvoi, les avocats définissent le drame : « Il est le crime de la foule dans une heure d'ivresse, avec son ignorance, sa superstition, ses fanatismes, les excitations qui procèdent du bruit et du nombre [95] » et qui constituent autant de « causes d'égarement ». Ailleurs, ils comparent l'événement à une épidémie.

Les historiens de Hautefaye n'ont pas manqué de recourir à la psychologie des foules. Le président Simonet, dans la conférence qu'il donne à Bordeaux, en 1929 [96], évoque

Taine, Tarde et Le Bon. Il parle de « meneur improvisé », de crédulité, de suggestibilité de « l'âme collective ». On aura reconnu la méthode et son enracinement dans les représentations sociales dominantes.

III – *« La populace des paysans »*

Le drame de Hautefaye pose un problème épineux aux républicains installés au pouvoir depuis le 4 septembre. Il leur faut inscrire l'affaire dans le débat politique; or, elle perturbe les clivages et bouscule les représentations dominantes. La logique de l'événement diffère, nous l'avons vu, de celle qui ordonne les analyses politiques au sein de la société englobante.

Les républicains n'appartiennent pas majoritairement à la société rurale, qu'ils comprennent mal. Selon Patrick Lacoste [97], les principaux militants de ce parti, à l'œuvre dans le département entre 1870 et 1877, se répartissent comme suit :

membres des professions libérales	134 = 33 %	petite et moyenne bourgeoisie, essentiellement citadine 61 %	71,5 %
patrons de l'industrie et du commerce	93 = 23 %		
fonctionnaires	13 = 3 %		
employés	8 = 2 %		
ouvriers (presque tous de Périgueux)	40 = 10,5 %		
exploitants agricoles – dont de riches propriétaires installés à la ville –	102 = 25,5 %		
divers	3 %		

Ajoutons qu'ici, comme dans le Gard [98], une partie de ces « exploitants agricoles » se sont sans doute ralliés au régime après le printemps 1871.

En cette année terrible, les républicains de la Dordogne savent la haine que les paysans périgourdins éprouvent à leur égard. Alcide Dusolier, l'éphémère sous-préfet de

Nontron, ami de Gambetta, ancien condisciple d'Alain de Monéys, déteste ce qu'il qualifie dans ses *Souvenirs* de « populace de paysans » [99]. Le radical – au sens que l'on donne à ce mot en 1869 – emprunte aux conservateurs le terme par lequel ceux-ci expriment leur mépris pour le peuple des faubourgs. Aux yeux du jeune avocat, militant républicain, cette foule paysanne a le comportement des animaux. A Hautefaye, l'après-midi du 16 août, elle a été prise « d'une sorte de folie comme celle qui, parfois, s'empare des bœufs dans les champs de foire, sous les morsures du soleil [100] ».

L'intensité de la rancœur des républicains à l'égard des paysans s'était libérée au lendemain du plébiscite du 8 mai 1870; elle s'affirme plus nettement encore, à l'annonce des résultats des élections à l'Assemblée nationale, le 8 février 1871. Il y a beau temps que Jean Dubois, attentif aux « modifications affectives » qui s'opèrent dans le vocabulaire politique et social, a, pour sa part, analysé le cheminement de la dépréciation [101]. A partir de 1863, montent l'hostilité et le mépris des républicains à l'égard des habitants des campagnes, qui votent pour les candidats de l'empereur. Le processus s'accentue à partir de 1869. Les termes « paysan » et « rural » deviennent alors franchement péjoratifs. Ce contenu sémantique se précise en février 1871 et se vulgarise dans les expressions : « majorité rurale », « Assemblée de ruraux ». Jean Faury souligne, à propos du Tarn tout proche, l'expression ouverte de ce mépris hostile. Le 12 février 1871, on lit dans *le Patriote* de ce département :

« Méchant plus souvent que bête, le paysan est généralement voleur s'il est métayer, usurier s'il est propriétaire, lâche s'il n'a pas été transformé par la vie militaire ou par le séjour des villes. (Et, comme la plupart des paysans seront ruinés par les exigences de la Prusse), c'est avec un plaisir sans bornes, et nous le dirons dût-on nous accuser de cruauté, que nous refuserons du pain au paysan que la faim amènera devant notre porte, avec joie que nous le verrons privé de ses fils. Qu'il aille chercher tout cela à Berlin, cet indigne abruti, qui place l'Empereur avant le peuple et les bestiaux avant la famille [102]. »

La dureté du jugement est la même dans la Dordogne. Albert Theulier, le sous-préfet de Ribérac, écrit à Alcide Dusolier le 31 décembre 1870 : « Quant aux paysans, leur esprit est détestable [...] le gouvernement doit s'appuyer résolument sur les villes armées qui, Dieu merci, ne sont pas disposées à se laisser de nouveau confisquer leur existence intellectuelle et morale par ces abominables campagnards. Contre ceux-là, en attendant qu'ils soient instruits (ce qui ne viendra pas de sitôt) *(sic)* il n'y a qu'un argument, la force brutale; ils ne respectent qu'un homme, le gendarme et j'espère bien qu'on ne commettra pas la faute insigne de grâcier les misérables assassins d'Hautefaye [103]. » Il conseille à ce propos : Pas de « sensiblerie pour quatre bêtes féroces de cette trempe. Laissons les pleurnicheries humanitaires pour des temps meilleurs. Fusiller les traîtres et guillotiner les assassins : voilà où six mois de guerre ont conduit un ancien adversaire de la peine de mort. »

Reste que l'affaire de Hautefaye gêne certains républicains. Sur le foirail, les paysans s'en sont pris aux nobles et aux curés. Ils se sont levés contre ceux qui, à leurs yeux, pactisaient avec l'envahisseur. Leur attitude, d'une certaine manière, s'apparente à celle des héros de 1792. Les hommes de Hautefaye ont agi en bleus.

La réponse apportée par les républicains au problème posé par le drame du 16 août n'est donc pas sans ambiguïté. Dans un premier temps, ils pensent *effacer la trace.* Ils envisagent de rayer de la carte le nom de la commune violente. Au début du mois de septembre, Alcide Dusolier, alors sous-préfet, préconise cette suppression. Le 23 de ce mois, on lit dans *l'Écho de la Dordogne* qu'une telle décision serait très populaire. Ce jour-là, le docteur Guilbert, psychiatre franc-maçon nommé préfet du département le 5 septembre, transmet au ministère de l'Intérieur le vœu de l'arrondissement de Nontron [104].

L'administration, toutefois, renonce rapidement au projet. Dès le 22 septembre, le maire provisoire de Hautefaye, l'aubergiste Élie Mondout, puis le 9 octobre, le jeune Villard, l'étudiant en droit originaire de la commune, ont avancé d'habiles arguments [105]. Le droit français ne reconnaît que la responsabilité pénale individuelle. La maladresse de Camille de Maillard et d'Alain de Monéys, qui ont prononcé des « paroles imprudentes » en un tragique temps de guerre, se révèle indéniable. A Hautefaye donc, on n'en démord pas. Surtout, les habitants de la commune ne sauraient porter le poids du drame. Les furieux étaient au nombre de quatre à cinq cents selon le maire, de sept à huit cents selon Villard; les habitants de Hautefaye n'étaient tout au plus qu'une quarantaine; certains d'entre eux ont tenté de tempérer l'ardeur des assaillants; trois seulement, dont un enfant, ont été compromis. Élie Mondout s'insurge, non sans raison : Hautefaye, « le pays de France le plus paisible », a été transformé dans l'opinion en un « repaire de brigands ». La commune a été « souillée d'une tache ineffaçable ». Or, la responsabilité de l'administration apparaît flagrante : le gouvernement impérial avait négligé d'organiser la garde nationale, les gendarmes ne se sont pas présentés sur le foirail l'après-midi du drame; surtout, les quelques « Messieurs » présents ont préféré s'enfuir, ou s'abstenir. Faut-il « parce qu'elle est pauvre en personnages influents, qu'elle (Hautefaye) soit sacrifiée »?

Le nouveau sous-préfet se montre sensible à tous ces arguments. Le 27 octobre [106], il conseille au docteur Guilbert d'user de mansuétude à l'égard d'une commune coupable, tout au plus, de « faiblesse », d'« indifférence » et d'« abstention »; d'autant que le démembrement de son territoire ne manquerait pas de créer « entre les habitants annexés et les enrichis de l'annexion » de ces haines durables qui, selon les termes du jeune Villard, « se transmettent de génération en génération comme un fatal héritage ». Bref, Alcide Dusolier et le docteur Guilbert ont mal mesuré la difficulté que présente la suppression d'une communauté villageoise.

Le sous-préfet caresse une autre idée : *recourir à l'expiation,* comme, naguère, savaient le faire les gouvernements de la Restauration. « Je trouverais préférable, ajoute-t-il, d'imposer à la commune l'érection d'une croix ou colonne – noter l'hésitation – expiatoire et de la punir, ainsi que les communes voisines, par la suppression des foires d'Hautefaye. » L'auteur de la missive a bien compris que le territoire concerné par le meurtre n'était pas celui de la commune mais celui de la foire. Quoi qu'il en soit, ces pieuses suggestions ne seront pas retenues en haut lieu.

Les républicains se montrent en effet plus pressés d'utiliser le drame que d'organiser des cérémonies expiatoires. Le supplice d'Alain de Monéys constitue une aubaine pour ceux d'entre eux qui s'efforcent de façonner les représentations politiques. Il suffit de le plaquer sur les derniers jours de l'empire, de faire de la barbarie de Hautefaye celle du régime tout entier, pour en tirer bénéfice. L'horreur et l'épouvante sont pliées au service du jeu politique. C'est à tort que le Second Empire s'est présenté en décembre 1851 comme l'adversaire et le vainqueur de la jacquerie; à preuve : en 1870, c'est lui qui la produit. La barbarie, la primitivité, l'aveuglement du 16 août 1870 ne sont que les fruits logiques du 2 décembre; le drame de Hautefaye autorise de nouer le début et la fin du pouvoir césarien. Le 4 septembre, révolution inouïe parce que non sanglante [107], prend tout son sens quand on veut bien le comparer à la « jacquerie bonapartiste » du 16 août.

Le crime de Hautefaye, écrit Charles Ponsac en février 1871 [108], est né de la « brutalité inoculée par l'empire ». « Ces paysans, en brûlant un homme au nom de l'empereur, condamnent plus irréparablement le régime tombé que ne peut le faire le poète des *Châtiments* lui-même. » « Il fallait les mœurs impériales pour faire entrer un si farouche espoir – celui d'une récompense – dans une cervelle humaine, fût-ce la cervelle épaisse d'une brute. » Une subtile connivence unit la fête impériale et la barbarie de Hautefaye.

« C'est au cri de Vive Napoléon! écrira pour sa part Dusolier en 1874, que cette multitude insensée dansa autour du jeune martyr [109] » : « Oui, pour nos campagnes, cet Empereur était comme un Dieu. » Les « fables bonapartistes », qui désignaient les nobles, les curés et les républicains à la vindicte des paysans ont, à elles seules, allumé l'incendie. Le jeune républicain oublie que, depuis trois ans, ses amis ont agité, encore plus intensément que l'administration du précédent régime, l'épouvantail du rétablissement de la dîme et des droits seigneuriaux [110]; peu importe, seul nous concerne ici le travail effectué sur l'imaginaire.

En dernier ressort, l'Empire est coupable de l'inculture des paysans : « Ah! que maudite soit l'ignorance, quand on rencontre sur son chemin, en 1871 *(sic)*, de pareilles sauvageries! Instruisons, éclairons ces campagnes! Le paysan nous tuera, par ses votes, notre liberté comme il a tué Monsieur de Monéys [111]. » En bref, le paysan demeure une brute, le comportement de la foule à Hautefaye le montre; c'est pourquoi, il n'accorde pas encore ses suffrages aux républicains. Inversement, voter pour le régime déchu s'accorde à la primitivité, à la barbarie, à l'irrationalité des comportements. Représentations sociales et représentations politiques forment bloc. Du même coup, se trouve expliquée l'hostilité dont font preuve les paysans et justifiée la haine que l'on éprouve à leur égard. La logique républicaine et la rationalité politique des conservateurs fonctionnent selon les mêmes procédures; l'une et l'autre se trouvent soumises au primat du jugement éthique : l'adversaire politique emprunte les figures du mal et de la primitivité; à la « tourbe des faubourgs » correspond « la populace paysanne ».

On comprend dès lors la bonne conscience éprouvée par le gouvernement républicain lorsqu'il refuse la mansuétude. Les horribles sauvages de Hautefaye sont des barbares « bonapartistes » qui se sont imaginé brûler un républicain, homme de progrès. Reste qu'on perçoit chez certains, notamment chez le docteur Guilbert, un sentiment de gêne. Si le crime est bien politique, la République, par la cruauté de sa répression, ne s'assimile-t-elle pas au régime déchu? L'esprit du 4 septembre parisien ne risque-t-il pas d'être contredit par la sévérité de Périgueux?

Chez les acteurs du dénouement, s'impose désormais une tension entre l'analyse politique du forfait et sa relégation au statut de crime de droit commun. D'entrée de jeu, le ministre de la Justice refuse que les meurtriers de Hautefaye puissent bénéficier de l'amnistie décidée le 4 septembre au profit de tous les individus condamnés pour délits politiques depuis le 2 décembre 1851. Cependant, les avocats – républicains – continuent jusqu'au bout de s'accrocher à ce fragile espoir. A leurs yeux, la *« passion politique »* [112] est l'unique mobile du crime. Ils utilisent le vocabulaire dépréciatif du Second Empire pour sauver leurs clients; l'attachement au régime déchu ne pouvait qu'engendrer le dérèglement moral; il innocente, de ce fait, les meurtriers, coupables seulement de leur crédulité. Mais Crémieux s'en tient aux termes de sa dépêche du 14 septembre : « Les assassins qui brûlent un homme vif ne peuvent être compris dans l'amnistie parce qu'ils ont voulu faire crier " Vive l'Empereur " à cet infortuné [113]. »

L'argumentation est forte; à cela près que le ministre décrète que les émeutiers ont brûlé Alain de Monéys alors qu'il était encore en vie; ce qui sera l'objet de débats indécis lors du procès. En outre, le texte contredit une généreuse tradition d'indulgence républicaine à l'égard des foules massacreuses. Dès l'annonce de la révolution parisienne de février 1848, les démocrates de Limoges s'étaient portés vers la prison pour en libérer les moins compromis, il est vrai, des assassins du fils Chambert. Le décret du 29 février 1848 avait annulé « les condamnations prononcées pour faits politiques » et « aboli les poursuites commencées [114] »; et rien ne précise, à notre connaissance, que les meurtriers des gendarmes de Bédarieux et de Clamecy (1851) aient été exclus des mesures d'amnistie. Quoi qu'il en soit, le 30 janvier 1871, le pourvoi sollicité par les avocats est rejeté; le ministre Crémieux « prescrit de faire exécuter immédiatement l'arrêt de condamnation [115] » à mort qui frappe quatre des accusés. Les exécutions sont fixées au 6 février.

Le préfet de la Dordogne se déclare atterré. Il perçoit fort bien la nature politique du drame et de ses enjeux. Les 4 et 5 février sont pour lui des journées d'angoisse. Le 4, il adresse deux dépêches [116] à Bordeaux, où siège partie du gouvernement de Défense nationale. A sept heures quarante du soir, il sollicite : « Ne pourrait-on surseoir à l'exécution d'Hautefaye? N'y aura-t-il donc aucune grâce? » A dix heures vingt, il se fait plus pressant : « Il est nécessaire de surseoir à l'exécution d'Hautefaye qui aurait en ce moment – on vote le 8 février – *le caractère d'une exécution politique.* » Le 5 février, il est impératif : « Il me paraît urgent de surseoir aux quatre exécutions d'Hautefaye, elles produiraient le plus déplorable effet ou si on ne peut surseoir, *il faut faire grâce* [...]. Réponse immédiate. »

Celle-ci tombera, impitoyable : en l'absence de Crémieux parti pour Paris, Gambetta, à qui l'on a communiqué les dépêches, a décidé le refus de tout sursis.

IV – *La guillotine aux champs*

Considérons à présent l'hébétude des monstres. Le pouvoir impérial a catégoriquement désavoué les sauvages de Hautefaye, lesquels avaient cru agir en son nom. Le 19 août, le procureur général de la Cour de Bordeaux dénonce au ministre les « scènes affreuses » de la Dordogne [117]. Le lendemain, nous l'avons vu, le *Moniteur* stigmatise ces « horreurs ». La répression est immédiate. Le soir du 16 août, les principaux acteurs du drame sont arrêtés. Un décret, daté du 24, révoque le pusillanime Mathieu. Élie Mondout se voit chargé d'assumer provisoirement les fonctions de maire. *L'Écho de la Dordogne* publie la décision dans son numéro du 27; et le sous-préfet de Nontron arrache publiquement l'écharpe du malheureux maréchal de Hautefaye [118].

On imagine la profondeur du désarroi des paysans. Confiants dans l'administration impériale, convaincus du bien-fondé des rumeurs qui dénonçaient la trahison des nobles, des curés et des républicains, persuadés d'avoir œuvré pour « leur » empereur, assurés de la récompense, les voilà châtiés par le gouvernement de la régente. Le désarroi ne pouvait être qu'à la mesure de l'attachement à la personne du souverain.

Après le 4 septembre, s'approfondit encore la déception. Le refus de l'amnistie contredit la mansuétude dont la justice impériale avait jusqu'alors fait preuve à l'égard des trublions des campagnes. Dans le prétoire, les paysans du foirail sont accablés par l'ironie des magistrats, qui les raillent dans leurs sentiments politiques. Voici, pour preuve, une séquence du procès de décembre. On accuse Mazière d'avoir déclaré : « Nous l'avons tué pour sauver la France; notre empereur nous sauvera bien à son tour! » « Monsieur l'avocat général, s'asseyant avec un geste ironique : " Allez le chercher votre empereur maintenant. " (Rires dans l'auditoire) [119]. »

Le 21 décembre, le verdict tombe, d'une terrible sévérité. Chambort, Buisson, Piarrouty, Mazière sont condamnés à mort; Campot jeune, aux travaux forcés à perpétuité. Huit accusés se voient infliger de cinq à huit ans de bagne, et le vieux Sallat cinq ans de réclusion. Cinq autres paysans présents sur le foirail sont punis de peines de prison. Le jeune Thibaud Limay est envoyé en maison de correction. Dix-neuf individus se trouvent durement frappés pour le meurtre d'Alain de Monéys. En bref, la justice de la République [120] n'a pas la main plus douce que celle de la monarchie de Juillet. En 1847, à Bourges, le jury de notables réuni pour juger les individus accusés du massacre du fils Chambert avait prononcé trois condamnations à mort, dix-neuf condamnations aux travaux forcés et une peine de réclusion [121].

A la lecture du verdict, la stupéfaction puis la terreur se peignent sur le visage des accusés. Seul toutefois, Léonard Piarrouty laisse éclater son indignation et lance une bordée d'injures. Selon un témoin, Évariste Lestibeaudois, « dans le public populaire, ce fut un concert de protestations ». « La foule demeura longtemps devant le Palais, refusant de se disperser en dépit du froid et de la fine pluie [122]. »

Mais cela ne met pas fin à la série de déceptions. Un mois plus tard, les paysans du Nontronnais apprendront le refus de la grâce et celui du sursis. La brièveté du délai qui sépare la condamnation de l'exécution apparaît saisissante; et, plus encore, la volonté de marquer le territoire de Hautefaye, cœur de la « jacquerie bonapartiste ». On n'élèvera pas de colonne expiatoire, mais la guillotine, en une scène digne de *Quatre-vingt-Treize,* marquera le lieu d'une flaque de sang. Jusqu'alors, les exécutions se déroulaient à Périgueux [123]. Cette fois, les « bois de justice » seront transportés sur le théâtre du forfait. A dire vrai, la décision n'est pas nouvelle. En 1815, le gouvernement de la Seconde Restauration avait transporté la guillotine de village en village afin de sanctionner les désordres survenus dans la région de Grenoble. C'est sur la place de Buzançais que le sabotier Michot, âgé de vingt-cinq ans, et ses deux compagnons avaient eu la tête tranchée, le 16 avril 1847. Le gouvernement de Défense nationale s'inscrit donc dans une solide tradition.

Reste que, dans la région de Hautefaye, de l'avis même du préfet Guilbert, cette exécution est perçue comme un acte politique. La traversée de la Dordogne par les « bois de justice » pose, de ce fait, quelques problèmes particuliers. Le 5 février [124], vers dix-sept heures, les quatre condamnés se confessent et reçoivent la communion. A vingt heures, les malheureux sont remis à l'exécuteur des hautes œuvres. Celui-ci, accompagné de deux ecclésiastiques, prend place dans l'omnibus qui doit conduire les condamnés sur le lieu du supplice. Le voyage s'effectue de nuit. Le funèbre convoi, flanqué d'une double escorte de gendarmes à cheval, parcourt lentement les cinquante-sept kilomètres qui séparent Périgueux du hameau de Hautefaye. A minuit, il est à Brantôme, premier relais; à trois heures, il atteint Mareuil, où s'effectue le second relais; à cinq heures, il parvient à destination. Les condamnés sont installés dans la maison Antony [125], située à quarante mètres de la halle, devant laquelle on commence de dresser l'échafaud; opération difficile car le terrain se révèle trop exigu.

Le récit – peu sûr [126] – des derniers moments des quatre hommes s'accorde à la tradition édifiante; il évoque même la nuit blanche en place de Grève et l'ancienne cérémonie des aveux [127]. Seul, Léonard Piarrouty demande à manger une soupe et boit un verre d'eau-de-vie, dont il critique d'ailleurs la qualité. Alors commencent les cris de repentir : « Les parents, assure-t-il, sont presque toujours la cause des malheurs de leurs enfants : ils ne les élèvent pas chrétiennement. » S'adressant ensuite à un jeune garçon qui lui présente du café : « Mon petit, lui intime Piarrouty, sois sage, ne nous imite pas. » Chambort, cependant, verse des larmes d'un repentir qui paraît sincère. Mazière prononce « plusieurs fois en sanglotant le nom de sa pauvre mère qui allait mourir de douleur ». Tous ces hommes, rappelons-le, étaient de braves gens avant le funeste 16 août. Au moment d'en finir, ils recommandent qu'on prie leurs familles de payer quelques dettes, récemment contractées. Seule ombre au tableau édifiant : la colère de Léonard Piarrouty; le terrible chiffonnier de Nontronneau tance vertement l'aide du bourreau, lequel, selon lui, lacère inutilement ses beaux vêtements.

L'exécution se déroule de huit heures vingt-cinq à huit heures trente, en présence d'un détachement de deux cents hommes d'infanterie qui, depuis la veille, bivouaque à Hautefaye. Si l'on ajoute à cet effectif la double escorte de gendarmes, on comprend qu'en ce 6 février, les paysans du Nontronnais aient pu interpréter un tel déploiement de forces comme la manifestation d'une répression de nature politique. Depuis la précédente république, ils n'avaient plus revu la troupe s'installer au village.

Lâchés par tous les groupes de la société englobante, les ruraux de la région de Hautefaye se trouvent dans le plus total isolement. Le désarroi, l'impuissance, la rancœur définissent leurs réactions émotionnelles; mais nombreux sont les signes de la fidélité aux convictions de naguère.

Le sous-préfet de Ribérac le dit et le craint. Depuis la fin du mois d'août, les rumeurs antirépublicaines vont bon train. A la fin de septembre, le préfet Guilbert adresse une circulaire aux maires de son département : « Des bruits regrettables sont mis en circulation : la République ne serait pas solidement assise, l'ex-Empereur serait sur le point de rentrer, son fils serait déjà à Paris, etc. [128]. » Il demande que les maires dénoncent ceux qui colportent ces bruits séditieux, afin que les procureurs de la République puissent les déférer devant les tribunaux.

Le 31 décembre, dans la lettre déjà citée, Albert Theulier, le sous-préfet de Ribérac [129] – en dehors donc du Nontronnais – évoque « la réaction forcenée des campagnes ». L'esprit des paysans est « détestable »; un bruit circule selon lequel « les républicains mettent leur (des paysans) argent dans leur poche. Les dépêches officielles sont (perçues comme) autant de mensonges ». « Les propos les plus incroyables se tiennent publiquement. » Une fois de plus, la circulation de l'argent obsède la rumeur; une fois de plus, les paysans du Périgord assimilent les républicains à des voleurs de caisses publiques.

Durant la nuit funèbre, deux aubergistes de Mareuil ont, dit-on, refusé d'abreuver les bourreaux. L'exécution des quatre hommes n'attire qu'une poignée de spectateurs. « C'est à peine, écrit Charles Ponsac, si l'on en comptait une centaine [130]. » Ce qui semble fort peu, si l'on veut bien se rappeler l'empressement des foules du XIXe siècle à venir contempler la mise à mort.

Chambort, Buisson, Mazière et Piarrouty sont perçus comme des martyrs. Le curé de Saint-Pardoux, petite paroisse proche de Nontron, s'en indigne : « Le sens moral du paysan est tellement perverti, écrit-il à l'intention de son évêque, qu'il regarde les exécutés d'Hautefaye comme des martyrs; *on ne soutiendrait pas le contraire impunément* [131]. » Les paysans de la région provoquent les nobles,

les curés et les républicains par leur empressement à fréquenter les foires de Hautefaye que l'administration a pensé un temps supprimer et que les notables interdisent à leurs métayers. Car, dans la région, comme sous le régime déchu, aristocrates légitimistes, membres du parti clérical et militants républicains continuent d'exprimer une commune hostilité à l'égard de cette paysannerie violente; mais celle-ci se rit de leurs menaces. Reprenons la lettre de M. de Lasfond, datée du 7 mai 1872 [132] : « Nous avons tous défendu à nos métayers de conduire les bestiaux aux foires d'Hautefaye où nous ne voulons plus mettre les pieds. » Or, « tous les métayers se font une gloire d'y aller, en disant : " Lous messurs ne volen pas y na, nou y niram nautrés " (" les messieurs ne veulent pas y aller, nous autres nous irons ") et en effet *les foires sont plus nombreuses qu'autrefois* et elles sont donc un sujet sérieux de sourdes agitations et de haine des Jacques ». La commune de Beaussac, ajoute M. de Lasfond, a émis le vœu de s'unir à Hautefaye. Il interprète ce souhait qu'aucun document d'archive ne confirme, du moins à notre connaissance, comme une façon de dire l'approbation du meurtre d'Alain de Monéys et de narguer, cette fois, les seuls aristocrates.

La traversée des « bois de justice » laisse une profonde trace dans les mémoires. Jean-Louis Galet rencontre en 1970 une femme de Mareuil qui lui confie [133] : « Ma grand'tante me l'a conté bien des fois. » Mais en présence des étrangers, les vieux qui savaient se réfugiaient dans le mutisme. L'affaire de Hautefaye et les sentiments qu'elle a suscités entrent dans le secret de la paysannerie régionale, comme ces tares, ces fautes, ces tragédies de famille qu'il importe de ne pas divulguer.

Philippe Joutard [134] souligne avec raison la nécessité du massacre pour que se constitue la solidité du souvenir. On relève ici, à l'échelle de la micro-histoire, de quoi modestement conforter son analyse. Un légendaire tragique s'esquisse. La jeune Anne Mondout serait morte, trois jours après l'exécution, de ne pas avoir pu supporter le spectacle horrifique. Il est aussi des âmes sensibles au village des cannibales; et bien des mouvements populaires trouvent leurs symboles en une jeune femme ou une vierge tragique [135].

Les élections des représentants à l'Assemblée nationale, qui se déroulent deux jours après l'exécution, confirment l'inertie ou, si l'on préfère, la fidélité des options. Dans la région de Hautefaye, l'ampleur de l'échec républicain laisserait pantois qui n'aurait pas compris l'intensité du traumatisme. Dans le canton de Champagnac-de-Belair, la liste qui s'intitule « libérale » obtient, en moyenne, 82 % des suffrages et celle des « républicains », 4 %. Dans celui de Bussière-Badil, les résultats sont respectivement de 93 % et de 6 %. Dans le canton de Nontron, où les bulletins des électeurs de la sous-préfecture se trouvent mêlés à ceux des petites communes rurales, telle Hautefaye, ils sont de 78 % et de 18 %.

Alcide Dusolier, sous-préfet de l'arrondissement en septembre 1870, se présente sous le titre de « secrétaire de Gambetta »; il obtient dans les trois cantons, 6 %, 6 % et 20 % des suffrages. Dans le canton de Champagnac-de-Belair, il est largement devancé par... Napoléon III et, plus nettement encore, par le prince impérial. Dans celui de Mareuil, « l'Empereur » l'emporte sur tous les candidats républicains, sauf Dusolier et l'ancien représentant Delbetz. Il obtient près de quatre fois plus de voix que Louis Mie. Or, bien entendu, le souverain déchu et son fils ne figuraient sur aucune liste [136].

D'accord avec Stéphane Audoin-Rouzeau [137], je pense que l'on sous-estime généralement la portée et la signification politiques des résultats de ce scrutin du 8 février. Il est de tradition de souligner les conditions anormales dans lesquelles celui-ci s'est déroulé; nombre d'électeurs étaient prisonniers ou se trouvaient en déplacement; la campagne électorale, trop courte, ne fut qu'une caricature; les bonapartistes, selon le décret de Gambetta rapporté par Jules Simon, croyaient ne pas pouvoir ou n'osaient se présenter. Tout cela est incontestable. En outre, ce scrutin, d'une certaine manière, a revêtu l'aspect d'un référendum; l'électeur devant se prononcer pour ou contre la reprise des hostilités. Mais derrière la réitération de ces évidences se cache bien souvent le refus insidieux d'enregistrer la médiocrité des résultats obtenus par les républicains. En février 1871, comme en mai 1870, les électeurs de ce parti demeurent très minoritaires en dehors des grandes villes. Aucun argument solide ne permet de nier cette évidence, cependant contestée. On ne saurait pour ce faire invoquer les progrès réalisés lors des élections partielles de l'été, car entre février et juillet, le massacre fondateur de mai a totalement modifié la conjoncture émotionnelle et surtout les représentations politiques.

Il est tout aussi convenu de répéter qu'à l'occasion du scrutin du 8 février, les paysans, tels des poids morts, ont fait retour à un passé de servitude et sont, en quelque sorte, retombés sous l'emprise des notables traditionnels, du fait de l'effacement de l'administration impériale. On ne tente guère d'imaginer que ce choix puisse résulter, non d'un simple phénomène d'inertie, mais d'une analyse politique. Or, tentons de réfléchir à la situation des paysans du Nontronnais et de détecter la logique de leur comportement. Une nouvelle fois [138], la république a déçu et écrasé ces hommes, hier tant attachés à la personne de l'empereur. Il leur est alors facile de constater que les plus efficaces et les plus résolus des ennemis de « leur » souverain, ceux qui ont causé sa perte, sont bien les républicains. Comment ne pas percevoir, en outre, qu'une certaine solidarité territoriale noue alors aristocrates et paysans, au sein d'une société rurale minée par le déclin de sa bourgeoisie. D'autant que l'hostilité à l'égard des « messieurs » peut s'assoupir depuis que la rumeur d'alliance avec la Prusse a perdu de son actualité et que le retour de la dîme et du régime seigneurial est passé au second plan des préoccupations. En bref, il y a une logique dans le refus du vote républicain, en dehors même de l'hostilité à la poursuite de la guerre.

Il n'est pas de notre propos de nous aventurer sur le terrain des attitudes adoptées ultérieurement par les paysans de la Dordogne. Notons seulement, avec Ralph Gibson, que, quand sera venue l'heure du ralliement au nouveau régime, les ruraux du Périgord continueront de marquer leur hostilité envers la république anonyme et oligarchique des opportunistes. La majorité des paysans devenus républicains apporteront vite leur soutien à ceux qui proposeront une autre figure du régime [139]. Ils se rallieront au *radicalisme* et, temporairement, au *boulangisme;* mais, encore une fois, il ne nous appartient pas ici d'analyser les modalités de la métamorphose des paysans « napoléoniens » ou « impérialistes » en fidèles du radicalisme [140].

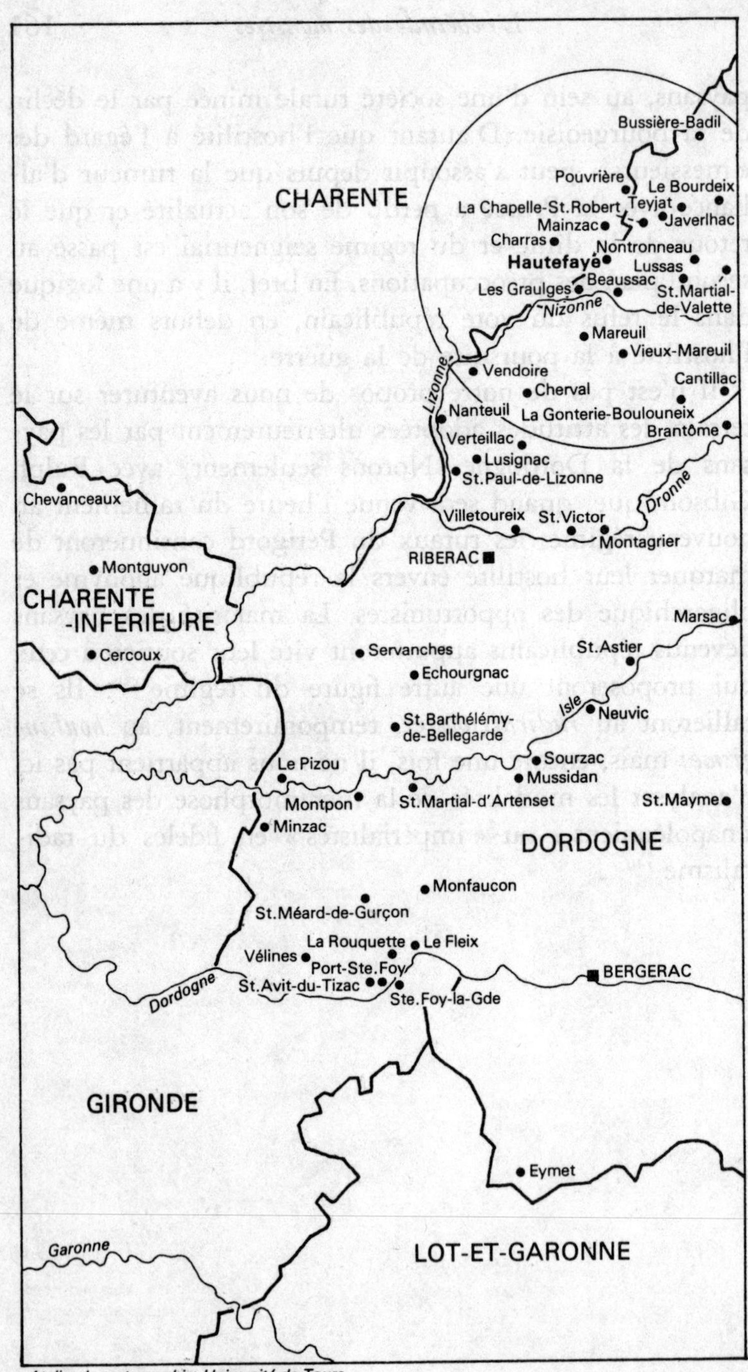

Atelier de cartographie. Université de Tours

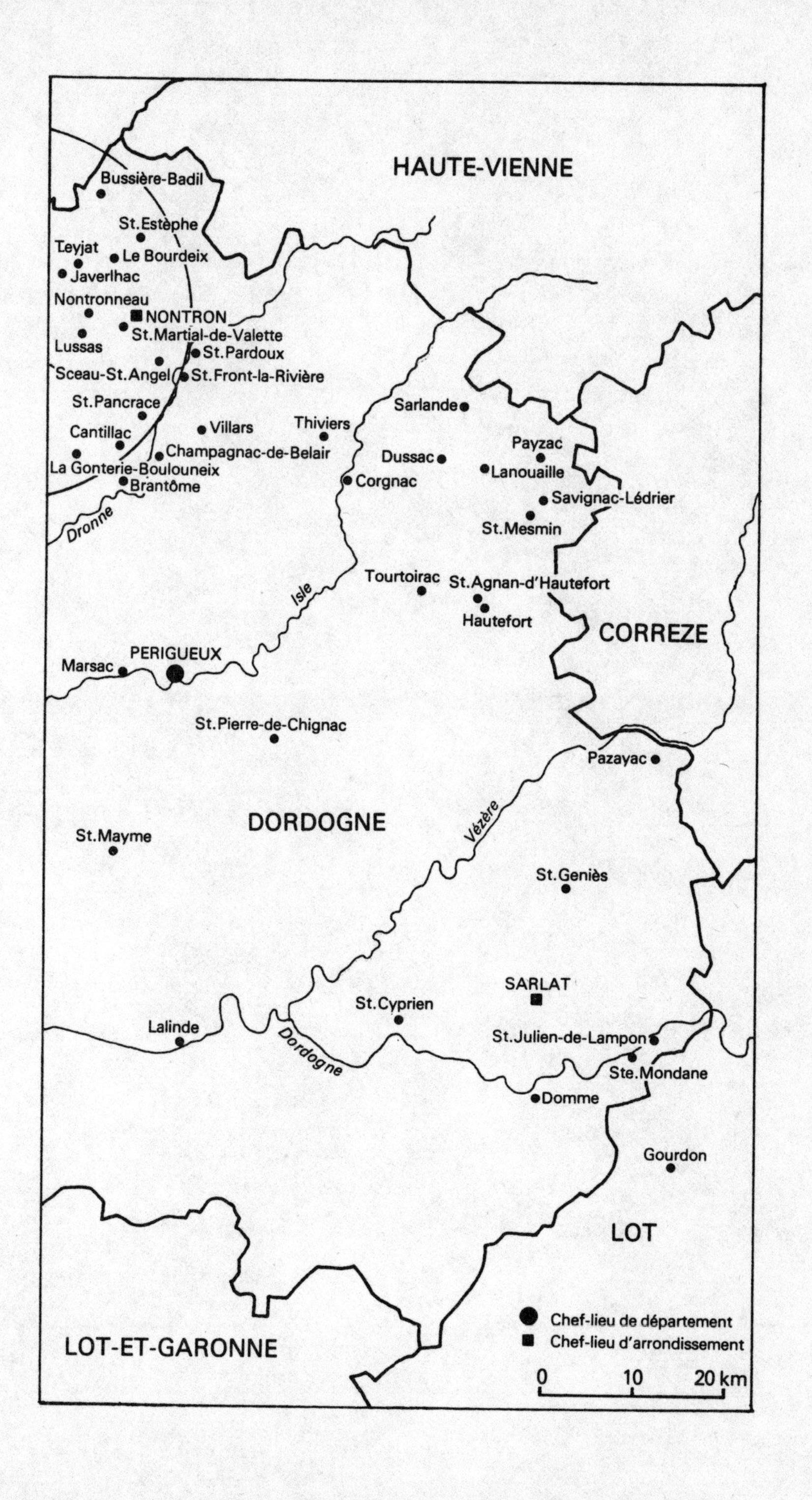
HAUTE-VIENNE
Bussière-Badil
St. Estèphe
Teyjat
Le Bourdeix
Javerlhac
Nontronneau
NONTRON
St. Martial-de-Valette
Lussas
St. Pardoux
Sceau-St. Angel
St. Front-la-Rivière
St. Pancrace
Cantillac
Villars
Thiviers
Sarlande
Champagnac-de-Belair
La Gonterie-Boulouneix
Brantôme
Dronne
Payzac
Dussac
Lanouaille
Corgnac
Savignac-Lédrier
St. Mesmin
Tourtoirac
St. Agnan-d'Hautefort
Isle
Hautefort
CORREZE
PERIGUEUX
Marsac
St. Pierre-de-Chignac
Pazayac
DORDOGNE
Vézère
St. Mayme
St. Geniès
SARLAT
St. Cyprien
Lalinde
St. Julien-de-Lampon
Dordogne
Ste. Mondane
Domme
Gourdon
LOT
LOT-ET-GARONNE
Chef-lieu de département
Chef-lieu d'arrondissement
0
10
20 km

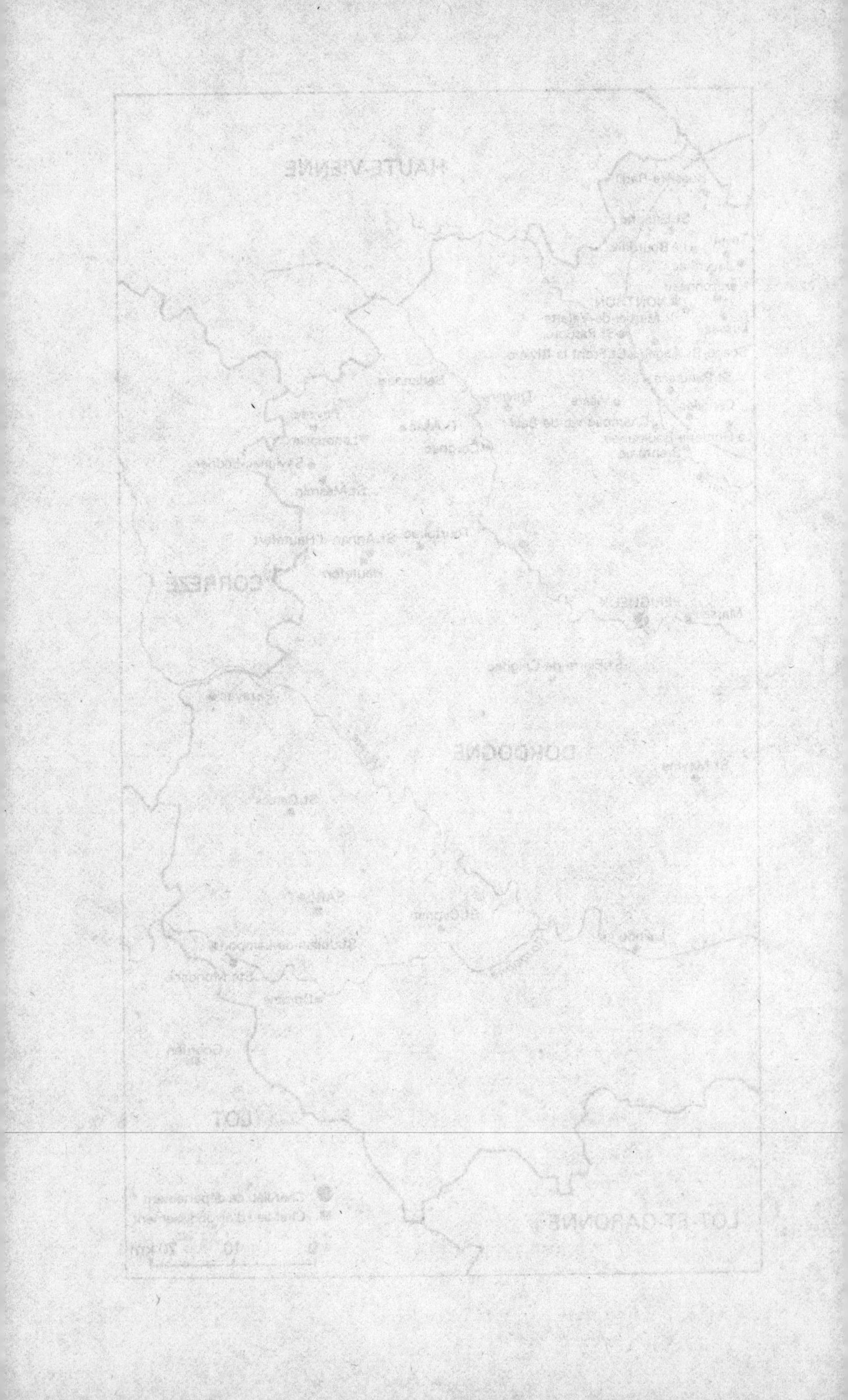

CONCLUSION

Le massacre-supplice de Hautefaye constitue un geste politique. D'ailleurs, il a été revendiqué comme tel. On ne discerne en l'affaire aucune des motivations qui relèvent de la vindicte individuelle, aucun de ces mobiles qui engendrent la violence des crimes de droit commun. Cet acte possède sa cohérence et sa logique. Il ne prouve en rien l'irrationalité des comportements de la paysannerie du Nontronnais, mais seulement la spécificité des modalités de l'analyse effectuée selon un système autonome de représentations politiques.

Or, la signification du drame a été occultée; le geste des paysans disqualifié par la société englobante, désavoué par l'Empire, rejeté dans la sphère du droit commun par la République. C'est qu'après dix-neuf ans de suffrage universel [1], le massacre n'entre plus dans la gamme des moyens reconnus d'expression du politique. Le geste des paysans du foirail, la libération des pulsions dionysiaques qui l'accompagne ont basculé dans l'horreur. Ils ont d'emblée, dans l'opinion qui reflète la sensibilité nouvelle, convoqué les fantômes des « Jacques » et des « cannibales »; ils ont réactualisé la figure éprouvante du monstre.

Le sang de la guillotine au village n'a pas suffi à racheter la cruauté de Hautefaye. Certes, en un cercle étroit de communautés rurales, Léonard Piarrouty et ses amis ont pris la figure de martyrs; mais la logique de leur comportement a été enfouie, oubliée, comme le pieu sanglant de Buisson. Le supplice relégué au simple statut d'affaire criminelle, étrange tout au plus par son caractère anachronique, a perdu tout son sens. Exclu du champ de la rationalité qui ordonne les clivages politiques au sein de la société globale, le massacre d'Alain de Monéys a bien vite cessé d'intéresser les historiens. Cette désinvolture en désigne l'importance. La réception réservée au bûcher périgourdin fait éprouver de manière saisissante la rapidité de la dérive qui emporte le XIXe siècle médian loin des massacres de naguère; elle accuse la mutation anthropologique en œuvre depuis l'émergence de l'âme sensible.

Le silence des historiens trouble qui veut bien mesurer le désarroi, la solitude et la souffrance des villageois du Nontronnais pour lesquels il n'était, à la fin de l'été 1870, d'autre issue psychologique à leur total isolement que le mutisme haineux et la rancœur sourde. Avant d'être désavoués par la société dans laquelle ils étaient immergés, ces paysans n'avaient pas su dire, autrement qu'en suppliciant l'ennemi, la spécificité de leurs représentations du politique, l'intensité de leur angoisse et la profondeur de leur attachement au souverain. De ce balbutiement, de cette pauvre esquisse d'une révolution identitaire oubliée, seule reste à nu la cruauté, dans le ressac des sentiments.

NOTES

Prélude

1. Charles Ponsac, *Le crime d'Hautefaye*. Bordeaux, Viéville et Capiomont, 1871, avant-propos. On aura remarqué que Charles Ponsac, comme tous les témoins de son temps, refuse de considérer le « h » de Hautefaye comme un « h » aspiré. Pour cette raison, il écrit : « d'Hautefaye ». Pour notre part, nous avons préféré rester fidèle à la règle et écrire : « de Hautefaye ».

Chapitre I

1. A ce propos, cf. la notion de paradigme indiciaire définie par Carlo Ginzburg.
2. Ralph Gibson, *Les notables et l'Église dans le diocèse de Périgueux*. Thèse de doctorat de 3e cycle, Université de Lyon III, 1979, t. 1, p. 64.
3. Déjà, en plein cœur du Second Empire, Audiganne soulignait, en la surestimant, l'extension du métayage périgourdin. Cf. « Le métayage et la culture dans le Périgord. Voyage au château de Montaigne », *Revue des Deux Mondes,* t. 19, 1867, 3, pp. 613-645.
4. Reste qu'à ce propos aussi, il est difficile de distinguer clairement ce qui relève de l'imaginaire et ce qui constitue le réel des pratiques sociales.

5. Ralph Gibson, *op. cit.*, t. 2, p. 446.

6. Dont Antoine de Baecque vient de retracer magnifiquement la genèse. Cf. « Le discours anti-noble (1787-1792). Aux origines d'un slogan : Le peuple contre les gros », *Revue d'Histoire moderne et contemporaine,* t. XXXVI, janvier-mars 1989, pp. 3-28.

7. Préfet de la Dordogne au ministre de l'Intérieur, 4 février 1852, *Arch. Nat.* F[1] c III Dordogne 7.

8. Le Nontronnais, région d'élevage, souligne Ralph Gibson (*thèse citée,* t. 1, p. 152), gardera plus longtemps sa population que les zones de polyculture vivrière de la vallée de la Dordogne.

9. Minutieuses analyses à ce propos dans la thèse de Ralph Gibson, t. 1, pp. 126 sq.

10. Dans l'arrondissement de Nontron en 1839-1841, 47,7 % des électeurs paient moins de trois cents francs d'impôt et 77,8 % moins de cinq cents francs. Ralph Gibson, *thèse citée,* t. 1, p. 74.

11. *Ibid.*, t. 2, p. 448. Il existe certes quelques notables passionnés d'agronomie, tels Bugeaud ou le marquis de Fayolle, mais ils constituent des exceptions.

12. Ralph Gibson, *thèse citée,* t. 2, p. 448.

13. Au grand dam de l'anxieux Maine de Biran, qui ne cesse de s'en plaindre dans son *Journal.*

14. Données fournies par Ralph Gibson, *thèse citée,* t. 1, p. 246. Pour des comparaisons avec treize autres régions, voir Agulhon (Maurice), Girard (Louis) et collaborateurs, *Les Maires en France du Consulat à nos jours.* Paris, Publications de la Sorbonne, 1986.

15. Un indice : les élections de 1830 envoyèrent à la Chambre des députés quatre adversaires du ministère Polignac et seulement deux de ses partisans, lesquels allaient par la suite prêter serment de fidélité à Louis-Philippe. Sous la monarchie de Juillet, la députation périgourdine se révèle plus « ministérielle » que sous le régime précédent. Cf. Ralph Gibson, *thèse citée,* t. 1, pp. 23-24.

16. Ralph Gibson, *thèse citée,* t. 1, p. 255.

17. On retrouve cette tactique de l'administration dans l'Est-aquitain. Cf. André Armengaud, *Les Populations de l'Est-aquitain au début de l'époque contemporaine.* Paris-La Haye, Mouton, 1961.

18. Ralph Gibson, *thèse citée,* t. 2, p. 446.

19. *Archives diocésaines,* D 9, cité par Ralph Gibson, t. 1, p. 257.

20. Cf. Michel Denis, *Les Royalistes de la Mayenne et le monde moderne,* Paris, Klincksieck, 1977.

21. Concernant le poids de l'ironie sur la pratique politique dans les campagnes du Centre, voir Yves Pourcher, « La politique au risque de la moquerie », in *La Moquerie. Dires et pratiques, Le Monde Alpin et Rhodanien,* 3e-4e trimestre 1988, pp. 191-207; notamment les développements consacrés aux fonctions du rire qui « bâtit les frontières d'une appartenance politique » (p. 198).

22. A l'exception de l'intéressant numéro spécial de la revue *Le genre humain,* qui lui est consacré (n° 5, 1982) et du livre de Michel-Louis Rouquette, *Les rumeurs,* Paris, P.U.F., 1975. Bronislaw Baczko, pour sa part, déplore le dédain dont font preuve les historiens de la Révolution à l'égard de la rumeur, cf. *Comment sortir de la Terreur. Thermidor et la Révolution,* Paris, Gallimard, 1989, p. 17.

23. Lydia Flem, « Bouche bavarde et oreille curieuse », in *La Rumeur, op. cit.,* p. 18.

24. *Ibid.,* p. 18.

25. Succédant à une solidarité plus ancienne dont Yves-Marie Bercé (*Histoire des Croquants. Étude des soulèvements populaires au XVIIe siècle dans le Sud-Ouest de la France,* Genève-Paris, Droz, 1974, pp. 127-129) a étudié les manifestations et le dépérissement. Le noble au XVIIe siècle donnait refuge au paysan poursuivi par les gabeleurs; il le protégeait contre les pillards, contre le logement abusif des gens de guerre et contre les exigences de l'État.

26. Expression utilisée par Pierre Lévêque. Cf. « La Révolution de 1815. Le mouvement populaire pendant les Cent Jours », in *Les Cent Jours dans l'Yonne. Aux origines du bonapartisme libéral,* Paris, Maison des Sciences de l'Homme, 1988. Voir aussi le livre classique de Henry Houssaye, *1815,* Paris, Perrin 1893, t. 1, « La première Restauration. Le retour de l'Ile d'Elbe – Les Cent Jours »; il fournit des indications sur les manifestations violentes d'hostilité à l'égard de la noblesse. Sur l'ensemble de la période 1814-1815, le meilleur ouvrage demeure, malgré la chape de silence qui tend à le faire oublier, celui de Félix Ponteil, *La Chute de Napoléon Ier et la crise française de 1814-1815,* Paris, Aubier, éditions Montaigne, 1943.

27. Il indique par là que la configuration de la noblesse n'est pas la même pour ce peuple rural et pour la catégorie éclairée à laquelle il appartient; il laisse entendre qu'aux yeux des paysans, elle englobe une fraction des « riches » roturiers.

28. *Arch. Nat.* BB^{30} 374. Mots soulignés par nous.

29. Cette similitude n'a pas échappé à Stéphane Audoin-Rouzeau dans le paragraphe qu'il consacre au drame de Hautefaye in, *1870. La France dans la guerre,* Paris, Armand Colin, 1989, p. 130.

30. Cité par Georges Rocal, « La Révolution de 1830 en Dordogne », *Bulletin de la Société historique et archéologique du Périgord,* 1936, p. 271. Pour situer cette effervescence régionale dans le contexte national, voir : Pamela Pilbeam, « Popular Violence in Provincial France after the 1830 Revolution », *English Historical Review,* 1976, vol. 91, n° 359, pp. 278-297 et « The Three Glorious Days, the Revolution of 1830 in Provincial France », *Historical Journal,* 1983, vol. 26, n° 4, pp. 831-844; voir aussi l'ouvrage collectif dirigé par John Merriman, *1830 in France,* New York, Londres, 1975; ainsi que l'article plus ancien mais très précis de Roger Price, « Popular

Disturbances in the French Provinces after the July Revolution of 1830 », *European Studies Review,* 1971, vol. I, n° 4, pp. 323-350. L'auteur (p. 344) étudie l'hostilité manifestée par les paysans de la Corrèze à l'égard des nobles, des riches et des membres du clergé. Dans ce département, au lendemain de Juillet, on s'en prend aux châteaux. A Chamberet, la situation évoque celle qui règne à Payazac. le beau travail de Roger Price conduit donc, lui aussi, à souligner la spécificité des formes que revêtent les antagonismes sociaux dans cette région de France et la fréquence de la référence implicite aux gestes de la Révolution.

31. *Arch. Nat.* F[7] 9471, déjà utilisé par Georges Rocal, *article cité,* pp. 399-403.

32. Sur cette violence, cf. Alain Corbin, *Archaïsme et modernité en Limousin au XIXe siècle. 1845-1880,* Paris, Marcel Rivière, 1975, t. 1, pp. 500-502.

33. Georges Rocal, *1848 en Dordogne,* Paris, Occitania, 1934, t. 1, p. 27 et, pour l'attaque de la Durantie, pp. 105 sq.

34. Ralph Gibson, *thèse citée,* pp. 254-255.

35. Georges Rocal, *1848 en Dordogne, op. cit.,* t. 1, pp. 142-143.

36. *Arch. Nat.* BB[18] 1254. Souligné par nous.

37. Procureur général, 18 juillet 1849, *Arch. Nat.* BB[30] 359.

38. Ainsi que pour les citations qui suivent : cf. Georges Rocal, *1848 en Dordogne, op. cit.,* t. II, pp. 102-106 et 247.

39. Ralph Gibson, *thèse citée,* t. 1, p. 258.

40. Nous disons bien « curés » et non prêtres ou membres du clergé pour emprunter, le plus exactement possible, le vocabulaire utilisé par les ruraux.

41. Dans le Nontronnais, entre 1836 et 1844, sur cinquante-quatre présidents de fabrique, huit seulement sont des nobles. Ralph Gibson, *thèse citée,* t. 1, p. 332 et, pour les indices qui suivent, pp. 266 à 287.

42. Ainsi que neuf individus de noblesse douteuse. Ralph Gibson, *thèse citée,* t. 2, p. 385. Situation très différente de celle qu'Yves Pourcher relève dans la Lozère, cf. *Les Maîtres de granit. Les notables de Lozère, du XVIIIe siècle à nos jours,* Paris, Orban, 1987, *passim.*

43. Les curés ne sont que 24 % dans l'arrondissement de Périgueux à signaler une telle situation.

44. Ralph Gibson, *thèse citée,* t. 2, p. 550.

45. Voir notamment Agulhon (Maurice), *La République au village,* Paris, Plon, 1970, pp. 172-188 et, pour une région proche, Alain Corbin, *Archaïsme et modernité, op. cit.,* t. 1, pp. 647-652.

46. Note du ministère de l'Intérieur, mai 1865. *Arch. Nat.* F[1] c III Dordogne 11.

47. Ce terme ne désigne pas l'intérieur de l'édifice mais la partie du chœur située autour de l'autel. Sur l'incendie des bancs et le

symbolisme révolutionnaire dans la tradition paysanne, notamment en Périgord, voir Mona Ozouf, *La Fête révolutionnaire. 1789-1799,* Paris, Gallimard, 1976, coll. « Folio », pp. 388-440.

48. Procureur général de Bordeaux au Garde des Sceaux, 11 juin et 7 septembre 1838, *Arch. Nat.* BB[18] 1254.

49. Procureur du roi de la Dordogne au Garde des Sceaux, 28 juin 1838, *Arch. Nat.* BB[18] 1254.

50. Procureur du roi, Nontron, au Garde des Sceaux, 2 juillet 1838, *Arch. Nat.* BB[18] 1254.

51. Parquet de Nontron, 5 juillet 1838, *Arch. Nat.* BB[18] 1254.

52. Procureur de Nontron au procureur général, 17 juillet 1838, *ibid.*

53. Procureur de la Dordogne, 28 juin 1838, *ibid.*

54. Note de la Direction de la police générale, 2 août 1838, *ibid.*

55. Maire de Sourzac, *Arch. dép. Dordogne,* 1 M 72.

56. Cité, ainsi que ce qui suit, par Georges Rocal, *1848 en Dordogne, op. cit.,* t. II, p. 247. Sur l'issue de cette affaire : *Arch. Nat.* BB[30] 359.

57. *Arch. Nat.* F[1] c III Dordogne 11.

58. Lettre du préfet au ministre de l'Intérieur, 1er avril 1870, *ibid.*

59. Note du ministère de l'Intérieur sur les incendies de la Dordogne, 4 septembre 1862, *Arch. Nat.* F[1] c III Dordogne 11.

60. Rapport du procureur impérial, 28 août 1862, *ibid.,* ainsi que les deux citations qui suivent. Cette affaire semble une résurgence de la peur des aristocrates « metteurs de feu » qui s'était manifestée en Bourgogne en 1846. Cf. Eugen Weber, *op. cit., infra,* p. 749.

61. Cette affaire a déjà été évoquée par Jean Maurain, in *La politique ecclésiastique du Second Empire de 1852 à 1869,* Paris, Alcan, 1930; ainsi que par Eugen Weber, *La fin des terroirs. La modernisation de la France rurale, 1870-1914,* Paris, Fayard, 1983, pp. 364-365. Yves-Marie Bercé l'étudie plus précisément in *Croquants et nu-pieds. Les Soulèvements paysans en France du XVIe au XIXe siècle,* Paris, Gallimard, 1974, pp. 214-221. Le baron Eschassériaux en parle assez longuement dans ses *Mémoires,* cf. François Pairault, *Les Mémoires d'un grand notable bonapartiste : le baron Eschassériaux de Saintes, 1823-1906,* Thèse, Université de Paris X-Nanterre, 1990, pp. 96-98.

62. Rapport sur recours en grâce. 5 octobre 1868, *Arch. Nat.* BB[24] 721; ainsi que les citations qui suivent. Selon Eugen Weber, le mouvement aurait été suscité par la décision des Lestranges d'inscrire leurs armes sur l'un des vitraux de l'église de Chevanceaux.

63. *Ibid.*

64. *Ibid.*

65. Baron Eschassériaux, *Mémoires, thèse citée* de François Pairault, Paris X-Nanterre, 1990, p. 97.

66. Dossier sur les troubles de Donnezac, *Arch. Nat.* BB[24] 721.

67. Procureur général de Poitiers au Garde des Sceaux, *Arch. Nat.* BB[24] 721.

68. Troubles de Sigogne, *Arch. Nat.* BB[24] 721.

69. Cf. Jean Faury, *Cléricalisme et anticléricalisme dans le Tarn, 1848-1900,* Presses de l'Université de Toulouse-Le Mirail, 1980. A titre d'exemple, en février 1869, un soir de tirage au sort, les conscrits de Périgueux s'en vont gratifier l'évêque d'un charivari. Rapport du préfet au ministre de l'Intérieur, 10 février 1869, *Arch. Nat.* F[1] c III Dordogne 7.

70. Elle figure dans le carton suivant : *Arch. Nat.* F[1] c III Dordogne 11.

71. Préfet au ministre de l'Intérieur, 12 juillet 1869, *Arch. Nat.* F[1] c III Dordogne 7.

72. Un texte très révélateur à ce sujet figure dans la thèse citée d'André Armengaud, pp. 480-482.

73. Cf. article cité de Georges Rocal, « La Révolution de 1830... », ainsi que pour les lignes qui suivent.

74. Cf. les réflexions théoriques de Peter Mc Phee : « La mainmorte du passé? Les images de la Révolution française dans les mobilisations politiques rurales sous la Seconde République », in Michel Vovelle (sous la direction de), *L'Image de la Révolution française,* Paris, Pergamon, 1989, t. 2, pp. 1556-1562.

75. On se reportera, bien entendu, au livre classique de Georges Lefebvre, *La grande Peur de 1789,* Paris, Armand Colin, 1988, présentation de Jacques Revel. La commune de Ruffec constitue l'épicentre du phénomène. Tout récemment, Mona Ozouf en a étudié les manifestations dans le Lot voisin. Les troubles se déploient ici à la fin de l'année 1789 et durant toute l'année 1790. La foule, à cette occasion, incendie les bancs, abat les girouettes et tous les signes qui désignent les notables. Plus proche de notre visée, l'auteur montre l'affrontement, dans la représentation des événements, d'un discours répressif et d'un discours libéral (Mona Ozouf, « Entre la fête et l'émeute : l'hiver 1790 en Quercy », in *Révolution et Traditions en vicomté de Turenne... 1738-1889,* Saint-Céré, 1989, pp. 165-174).

76. *Archives diocésaines* C 7. Monographies paroissiales (Villars), cité par Ralph Gibson, *thèse citée,* t. 1, p. 20.

77. Ainsi que les modalités de la violence hostile à l'égard des nobles et des curés.

78. On notera le décalage temporel.

79. Georges Rocal, *1848 en Dordogne, op. cit.,* t. 1, p. 141.

80. *Ibid.,* p. 142.

81. Rappelons que, ce jour-là, une manifestation des démocrates-socialistes tourne à l'insurrection et qu'elle échoue, après que les

insurgés se sont installés au Conservatoire des Arts et Métiers; cet échec oblige Ledru-Rollin à s'enfuir.

82. Sur cette affaire, *Arch. Dép. Dordogne* 1 M. 72. Rapport du sous-préfet de Nontron au préfet sur les ramifications de l'insurrection du 13 juin 1849, 30 juin 1849.

83. Évidemment, il conviendrait d'étudier en détail la manière dont s'effectuent la propagande et l'action militante des démocrates-socialistes; nous ne disposons pas, pour la Dordogne, d'études équivalentes à celles menées par Marcel Vigreux à propos du Morvan, par Raymond Huard dans le Gard, par Maurice Agulhon dans le Var ou par Michel Pigenet dans le Cher. Mais notre propos n'est pas d'étudier la conquête républicaine; il est, tout au contraire, d'analyser la racine des sentiments antirépublicains.

84. On se reportera aux livres consacrés par Yves-Marie Bercé à la racine de ces attitudes.

85. La première Restauration n'avait pas tenu sa promesse initiale d'abolir les droits réunis (sur les vins, les alcools, le tabac, le sel); or, les populations de la région étaient très sensibles au problème. En juillet 1814, le registre des impôts indirects était brûlé à Saint-Yriex et la caisse pillée. Un mois avant le retour de l'île d'Elbe, on crie « Vive l'Empereur! », « A bas les Bourbons! » dans la petite ville d'Aixe, peu éloignée du Nontronnais (cf. Félix Ponteil, *La Chute de Napoléon Ier*, *op. cit.*, pp. 127-128).

86. Georges Rocal, « La révolution de 1830... », *art. cité,* p. 329. Rappelons que Charles X mit deux semaines à parcourir le trajet qui le conduisit à Cherbourg.

87. *Ibid.*, p. 332.

88. Rapport du maire de Sourzac, *Arch. Dép. Dordogne* 1 M 72.

89. Sur cette affaire, cf. Georges Rocal, *1848 en Dordogne, op. cit.*, t. II, pp. 14-15. Mona Ozouf, *art. cité,* note, à propos des années 1789 et 1790, l'inversion de sens entre le mai et la potence.

90. Georges Rocal, *op. cit.*, t. II, p. 18.

91. Cf. Suzanne Coquerelle, « L'armée et la répression dans les campagnes (1848) ». *Bibliothèque de la Révolution de 1848,* t. XVIII, 1955, pp. 121-159. Voir aussi : Rémy Gossez, « La résistance à l'impôt. Les quarante-cinq centimes », *Bibliothèque de la Révolution de 1848,* t. XV, 1953, pp. 89-135. Selon cet auteur, les départements les plus concernés par le mouvement sont la Creuse, la Corrèze, la Charente-Inférieure, le Lot, le Tarn-et-Garonne, le Lot-et-Garonne, la Haute-Garonne, le Gers et les Hautes-Pyrénées. Nous y ajoutons donc la Dordogne.

92. Georges Rocal, *1848 en Dordogne, op. cit.*, t. II, p. 25.

93. Propos figurant dans *l'Écho de Vesone* du 20 juin 1848, rapportés par Georges Rocal, *op. cit.*, t. 1, p. 156.

94. Georges Rocal, *op. cit.*, t. II, p. 9.

95. *Ibid.*, t. 1, p. 171.

96. Sur cet épisode, nous ne disposons, du moins à notre connaissance, d'aucune étude de valeur.

97. Analyse détaillée de l'affaire in Alain Corbin, *Archaïsme et modernité, op. cit.*, t. 1, pp. 502-510.

98. Jean-Baptiste Chavoix, *Proposition au sujet de l'impôt de 45 centimes,* Paris, Imprimerie de l'Assemblée nationale, 1849, *Bibl. Nat.* Le ^{67} 2.

99. *Arch. Nat.* BB^{30} 359; ainsi que sur l'affaire de Saint-Félix.

100. Déjà souligné par Philippe Vigier in *Le Bonapartisme/Der Bonapartismus.* Artemis, Munich, 1977, p. 15.

101. Inlassable, Jean-Baptiste Chavoix fera une nouvelle proposition en faveur du remboursement des quarante-cinq centimes, le 12 mars 1851. Il avait en outre proposé une modification de la loi du 3 mars 1844 qui concerne la chasse.

102. Maurice Agulhon a déjà, à propos du déroulement de l'insurrection de décembre 1851, évoqué le rôle de cette dénivellation des représentations politiques du temps selon les milieux sociaux.

103. L'analyse systématique des documents d'archives concernant les incidents liés à la pratique du suffrage universel sous la IIe République met en évidence la sensibilité à ce problème. Cf. Didier Portès, *La pratique du suffrage universel sous la Seconde République (2 mars 1848-31 mai 1850) à la lumière des archives judiciaires.* Mémoire de maîtrise, Université de Paris I, 1989. Ce travail souligne le poids de la rumeur, celui des défis et celui des pratiques folkloriques sur cet apprentissage du suffrage universel.

104. Alain Corbin, *Archaïsme et modernité..., op. cit.*, t. 1, p. 509. Allusion à la commission exécutive de cinq membres qui a succédé au gouvernement provisoire acclamé en février 1848.

105. Ainsi que la citation suivante : Rapport du sous-préfet de Nontron, 22 mars 1852, *Arch. Nat.* F^{1} c III Dordogne 7. Souligné par nous.

106. *Archaïsme et modernité, op. cit.*, t. 2, p. 840.

107. Rappelons que, le 2 décembre 1851, le président de la République, par son coup d'État, dissout arbitrairement l'assemblée élue le 13 mai 1849 et que, dans le même temps, il rétablit le suffrage universel masculin, aboli par la loi du 31 mai 1850.

108. Voir le beau livre de Ted Margadant, *French Peasants in Revolt. The Insurrection of 1851.* Princeton University Press, 1979. La seule forme de résistance relevée par l'auteur dans la Dordogne est une manifestation d'une centaine de personnes visant à délivrer des prisonniers dans la ville de Bergerac (cf. p. 17).

109. Les paysans assemblés sur le foirail de Saint-Yrieix, lorsqu'ils apprennent la chute de la monarchie de Juillet et l'avènement de la

République, manifestent la plus grande indifférence et continuent leurs transactions. Cf. rapport du sous-préfet cité in Alain Corbin, *Archaïsme et modernité, op. cit.*, t. 2, p. 705.

110. Georges Rocal, *1848 en Dordogne, op. cit.*, t. 2, pp. 211-212.

111. Cf. Patrick Lacoste, *Les Républicains en Dordogne au début de la III*[e] *République. 1870-1877,* Mémoire de maîtrise, sous la direction d'André-J. Tudesq, 1971, p. 23. Cinq des dix candidats républicains aux élections à l'Assemblée nationale le 8 février 1871 – dont les têtes de liste – étaient d'ex-représentants élus à la Constituante en 1848 ou à l'Assemblée législative en 1849.

112. D'abondants documents sur cette campagne, dont l'exposition du détail serait fastidieuse, figurent dans les cartons suivants : *Arch. Nat.* BB[18] 1795, BB[18] 1786 et *Arch. Dép. Dordogne* 2 Z 73, sans compter les rapports périodiques des préfets et des procureurs généraux.

113. Cet échec qui contraste avec ce que Raymond Huard constate dans le Gard (*Le Mouvement républicain en Bas-Languedoc, 1848-1881,* Paris, Presses de la fondation des Sciences politiques, 1982, pp. 201-204), est particulièrement net dans l'arrondissement de Nontron, coupé en deux par l'administration; laquelle a savamment dessiné les circonscriptions électorales. Selon le sous-préfet de Nontron, cette partition a mécontenté les populations et ce sentiment a fourni aux candidats de l'opposition l'essentiel de leurs voix (*Arch. Dép.* 2 Z 73).

Pour s'en tenir à la campagne du républicain quarante-huitard Jean-Baptiste Chavoix (dans l'autre circonscription, Welles de Lavalette n'a pas de concurrent), le candidat organise des réunions, que l'administration a décidé de laisser se tenir librement, à Lanouaille (vingt personnes chez un forgeron et une quarantaine chez un tailleur), à Champagnac-de-Belair (vingt personnes), à Thiviers (vingt à trente personnes), à Villars (une douzaine) et à Jumilhac-le-Grand (quatre-vingt-dix personnes). Dans cette circonscription, qui regroupe l'arrondissement de Périgueux, la ville chef-lieu, et quatre cantons de celui de Nontron, le candidat officiel, Paul Dupont, obtient 22 136 voix et le républicain Jean-Baptiste Chavoix, 10 872. Dans la troisième circonscription, qui regroupe l'arrondissement de Ribérac et les quatre autres cantons de celui de Nontron, Welles de Lavalette, seul candidat, obtient 21 441 voix; les inscrits étant au nombre de 33 151.

114. Dans ce département, les résultats sont les suivants : OUI : 115 099, NON : 10 653, *Arch. Nat.* F[1] c III Dordogne 7.

115. Cf. Alain Corbin, *Archaïsme et modernité..., op. cit.*, t. 2, pp. 904-906.

116. Telle est la constatation effectuée par le procureur général de

la cour de Bordeaux, rapport du 12 janvier 1870, *Arch. Nat.* BB[30] 390.

117. Ressassé dans les rapports administratifs.

118. Sur l'importance de l'option politique dans la conscience identitaire, voir Pierre Vallin, *Paysans rouges du Limousin,* Paris, L'Harmattan, 1985. L'auteur montre le poids du ralliement au socialisme dans l'élaboration de l'identité des paysans limousins.

119. Robert Pimienta (*La propagande bonapartiste en 1848,* Paris, Cornély, 1911) a naguère bien analysé les moyens de cette propagande. Il n'était pas de son propos de repérer le travail de la rumeur. Voir aussi André-Jean Tudesq, « La Légende napoléonienne en France en 1848 », *Revue historique,* juillet-septembre 1957, pp. 64-85. Plus récemment : Jean Tulard, *Napoléon ou le mythe du sauveur,* Paris, Fayard, 1983 et, dans une autre perspective, Frédéric Bluche, *Le Bonapartisme, aux origines de la droite autoritaire,* Paris, Nouvelles Éditions Latines, 1980.

120. Cf. Bernard Ménager, *Les Napoléon du Peuple,* Paris, Aubier, 1988.

121. A ce propos, voir Dominique Aubry, *Quatre-vingt-Treize et les Jacobins, Regards littéraires du XIXe siècle,* Presses Universitaires de Lyon, 1988, notamment : « Mythes napoléoniens et mythes jacobins », pp. 224-233.

122. Souligné par Bernard Ménager, confirmé par les deux mémoires de maîtrise d'Emmanuelle Huyghes et de Valérie Sekula, Université de Paris I, 1989.

123. Georges Rocal, *« La Révolution de 1830... », art. cité,* p. 213.

124. Thèse développée, notamment par Philippe Vigier, à la lumière des travaux qu'il a dirigés.

125. Les deux thèses récentes de François Pairault sur la Charente et de Maurice Mathieu sur la Vienne contribuent à rééquilibrer une historiographie trop négligente à l'égard de ce césarisme démocratique. Rappelons que naguère, Patrice L.R. Higonnet relevait, non sans étonnement, le ralliement massif et le loyalisme indéfectible des paysans de Pont-de-Montvert (Lozère) à un régime impérial qu'ils ne percevaient pas comme « réactionnaire » (*Pont-de-Montvert. Social Structure and Politics in a French Village. 1700-1914,* Harvard University Press, 1971, pp. 121-124).

126. Sur cette question, voir le numéro spécial de la *Revue d'Histoire Moderne et Contemporaine : L'historiographie du Second Empire,* t. XXI, janvier-mars 1974.

127. Notamment, nous le reverrons, Louis Mie et Charles Ponsac à Périgueux ainsi qu'Alcide Dusolier à Nontron cf. *Ce que j'ai vu du 7 août 1870 au 1er février 1871,* Paris, Ernest Leroux, 1874, p. 18.

128. Faut-il rappeler que Karl Marx avait, sur-le-champ, discerné la signification identitaire de ce vote?

129. Rapport du 26 décembre 1852, *Arch. Nat.* F[1] c III Dordogne 7.

130. Lettre du maire de Monfaucon, 22 novembre 1852, *Arch. Dép. Dordogne* 1 M 72 et rapport cité du sous-préfet de Nontron, 26 décembre 1852. *Arch. Nat.* F[1] c III Dordogne 7. En ce qui concerne la fin de l'année 1851, des documents sur cette liesse in *Arch. Nat.* F[1] c III Dordogne 7 ; par exemple, rapport du sous-préfet de Bergerac, 1er février 1852. Des « banquets napoléoniens » se déroulent dans un grand nombre de communes et l'on ne compte plus les adresses de félicitations. Sans oublier le rapport du sous-préfet de Nontron, 27 janvier 1852.

131. Contrairement à ce que l'on note dans certaines régions, la liesse fut très courte dans le Nontronnais au printemps 1848; et ses manifestations ne sauraient se comparer à celles qui se sont déployées de juillet à décembre 1830, en 1851 et en 1852.

132. Termes utilisés par le sous-préfet de Nontron dans son rapport cité du 22 mars 1852 (*Arch. Nat.* F[1] c III Dordogne 7). Les historiens n'ont pas suffisamment analysé ce « langage de l'administration » et son accord avec « la pensée napoléonienne des campagnes » (autres expressions utilisées par le sous-préfet de Nontron).

133. Rapport du préfet de la Dordogne, 13 août 1869, *Arch. Nat.* F[1] c III Dordogne 7. Cela dit, il serait intéressant d'étudier aussi la façon dont les administrateurs impériaux se représentent le paysan ; car il convient de ne pas être dupe de la configuration de cet imaginaire social.

134. Une rubrique porte ce titre sur les imprimés dans lesquels les procureurs généraux doivent couler leurs rapports.

135. Caractéristique, à ce propos, l'action du préfet de la Dordogne en 1868, et les motivations qu'il avance. Cf. rapport au ministre de l'Intérieur, 9 juillet 1868, *Arch. Nat.* F[1] c III Dordogne 11. Dans une série de conférences, il a tenu à montrer l'importance de l'instruction pour « les intérêts conservateurs de la société tout entière ». Dans ce but, le préfet crée en 1868 une *Société pour le développement de l'enseignement primaire dans la Dordogne.*

136. Pour reprendre la célèbre formule d'Adolphe Thiers (1864).

137. Rapports périodiques des commissaires cantonaux. Arrondissement de Nontron. 1858-1869, *Arch. Dép. Dordogne* 2 Z 121.

138. Phénomène dont nous avons naguère souligné l'importance dans le Limousin tout proche. Voir aussi, à ce sujet, la thèse de Gabriel Désert, *Les Paysans du Calvados, 1815-1895,* Université de Lille-III, 1975.

139. Souligné par les administrateurs dans les rapports cités.

140. A ce propos, le retard est ici évident, comparaison faite avec d'autres régions, la Normandie par exemple.

141. Celui-ci en effet est fort tardif, puisqu'il date de 1861. Cf. *Arch. Dép. Dordogne* 7 M 59.

142. Cf. André Armengaud, *thèse citée,* pp. 420-421.

143. Procureur général, 11 janvier 1868 et surtout 7 avril 1868. Ainsi, à Mussidan, les jeunes gens accueillent le sous-préfet aux cris de : « Vive la Mobile! » (*Arch. Nat.* BB^{30} 374) et préfet, 7 mars 1868 (*Arch. Nat.* F^{1} c III Dordogne 7).

144. Procureur général, juillet 1859, *Arch. Nat.* BB^{30} 374.

145. Et le titre de l'hymne national, qu'il convient de prendre au sérieux.

146. On ne doit pas totalement écarter que Camille de Maillard ait fait montre de sympathie à l'égard des républicains; on peut en effet imaginer que ce bouillant jeune homme légitimiste a pensé qu'il lui était plus facile de faire triompher ses idées et de jouer un rôle politique dans le cadre d'une république qui accepterait sincèrement le jeu du suffrage universel, comme en 1849, que sous un empire qui tient la bride serrée aux aristocrates partisans d'Henri V.

Chapitre II

1. La vigilance des préfets, celle des procureurs et celle des policiers autorisent en effet de retracer avec précision les vicissitudes de l'opinion, du 15 juillet, date du début du conflit, au 16 août 1870, jour de l'assassinat d'Alain de Monéys. Notons encore que la déclaration de guerre, décidée le 15 juillet, ne sera officiellement notifiée à la Prusse que le 19.

2. Rapport du préfet au ministère de l'Intérieur, 6 août 1870, *Arch. Nat.* F^{1} c III Dordogne 7.

3. Cela dit, il semble que sur ce fond d'attente résignée, la déclaration de guerre a surpris le monde rural dans l'ensemble du pays. Cf. Stéphane Audoin-Rouzeau, *1870..., op. cit.,* pp. 48 sq. et *art. cité, infra,* p. 11.

4. Stéphane Audoin-Rouzeau a, plus spécialement, étudié cette période initiale in : « Le sentiment national en France pendant la guerre de 1870 », *Bulletin de la Société d'Histoire moderne,* 16e série, nº 42, 1989, nº 2, pp. 9-18. Les expressions citées figurent page 11.

5. Jean Faury, *thèse citée,* p. 85.

6. Stéphane Audoin-Rouzeau, *1870..., op. cit.,* p. 67. Les renseignements d'ordre général qui figurent dans la page qui suit sont, pour beaucoup, tirés de ce livre.

7. Rapport cité du préfet, 6 août 1870.

8. Rapport du procureur général, août 1870, cité par Jean Faury, *op. cit.,* pp. 87-88.

9. Souligné et procédures analysées localement par Claude Farenc,

« Guerre, information et propagande en 1870-1871. Le cas de la Champagne », *Revue d'Histoire moderne et contemporaine,* t. XXXI, janvier-mars 1984.

10. Stéphane Audoin-Rouzeau, *1870..., op. cit.,* pp. 112-113.

11. Le maire Élie Mondout le rappelle en septembre, *Arch. Dép., Dordogne,* 1 M 41.

12. Le 9 août, le préfet de la Charente, département qui borde le territoire de la commune de Hautefaye écrit : « La garde nationale sédentaire n'existe pas ici et la mobile n'est pas encore organisée .» (*Arch. Nat.* F^7 12660.) Le 20 août, le préfet de la Dordogne envoie une dépêche au ministère de l'Intérieur sur laquelle on lit : « Pas de garde nationale sédentaire, pas de fusils ». (*Service Historique de l'Armée de Terre* La 8.) Les réponses à une circulaire ministérielle datée du 16 août permettent de constater que, dans la région, il en est presque de même de l'organisation de la garde mobile (cf. réponses des préfets de la Gironde, de la Charente – 17 août – et de la Dordogne – 20 août –).

13. Le procureur général fait de « l'émotion causée par la levée générale » la cause majeure du drame (dépêche au Garde des Sceaux, envoyée de Nontron, le 19 août. *Service historique de l'Armée de Terre* La 8). *Le Nontronnais,* dans sa rubrique « chronique locale », décrit, le 13 août, l'enthousiasme des volontaires et la liesse de la foule qui les acclame sur la place de l'Hôtel de Ville, à Nontron.

14. Stéphane Audoin-Rouzeau, *1870..., op. cit.,* pp. 128-129.

15. Rapport du préfet, *Arch. Nat.* F^7 12660.

16. Rapport cité du préfet, 6 août 1870.

17. Stéphane Audoin-Rouzeau, *1870..., op. cit.,* p. 135.

18. Préfet au ministre de l'Intérieur, 15 mars 1869; les termes de Louis Mie ont été prononcés devant trois cents personnes, lors d'une réunion tenue à Périgueux, à l'occasion de la campagne électorale, *Arch. Nat.* BB^{18} 1795.

19. Alcide Dusolier, *Ce que j'ai vu..., op. cit.,* pp. 7-16.

20. Cf. Patrick de Ruffray, *L'Affaire de Hautefaye. Légende. Histoire,* Angoulême, 1926, p. 22.

21. Souligné par Jean-Louis Galet, *Meurtre à Hautefaye,* Périgueux, Fanlac, 1970, p. 30.

22. Évoqué dès 1874, par Alcide Dusolier, *Ce que j'ai vu..., op. cit.,* p. 20. Pour plus de précision, voir Stéphane Audoin-Rouzeau, *op. cit., passim.*

23. Jean Faury, *Cléricalisme et anticléricalisme..., op. cit.,* p. 87 et Philip Hamerton, *Round my House,* Boston, 1885, p. 213; cité par Eugen Weber, *op. cit.,* p. 365.

24. *L'Écho de Châtellerault* et *Le Courrier de la Vienne,* cités par *le Charentais,* 18 août 1870. Trois jours plus tard, le bruit se répand à la gare que 11 000 fusils ont été expédiés à la Prusse par trahison;

saisis à la frontière, ils auraient été envoyés à Châtellerault. Le sous-préfet doit intervenir; en fait, il s'agit d'armes confiées à la Manufacture pour y être réparées.

25. « Notices paroissiales », casier 11, *Archives de l'évêché de Poitiers;* renseignements aimablement communiqués par Maurice Mathieu.

26. Dossier Gabriel Palus, *Arch. dép. Dordogne* J 1431, note de l'auteur du dossier.

27. Dossier cité, Gabriel Palus.

28. Président M. Simonet, *La Tragédie du 16 août 1870 à Hautefaye,* Bordeaux, Siraudeau, 1929, p. 6.

29. Alcide Dusolier, *Ce que j'ai vu..., op. cit.,* p. 19. Même témoignage in *Notes et Souvenirs* des frères Chambon, en date du 18 août 1870, cité par Ralph Gibson, *thèse citée,* t. 1, p. 258.

30. Ainsi que les citations qui suivent : procureur impérial de Ribérac au procureur général, 18 août 1870. Document reproduit in Georges Marbeck, *Cent documents autour du drame de Hautefaye,* Périgueux, Pierre Fanlac, 1983, p. 74.

31. Stratégie très bien démontrée par Maurice Mathieu dans la thèse qu'il consacre à la Vienne. En 1871, Charles Ponsac la souligne dans les notes d'audience intitulées *Le crime de Hautefaye,* Bordeaux, impr. Viéville et Capiomont, 1871.

32. Président Simonet, *op. cit.,* p. 6.

33. Alcide Dusolier, *Ce que j'ai vu..., op. cit.,* p. 19.

34. Cf. Maurice Olender, *La Rumeur, op. cit.,* p. 9. Michel-Louis Rouquette, pour sa part, souligne la multiplicité des fonctions de la rumeur qui, tout à la fois, « rend manifeste l'identité psychosociale des partenaires » et propose l'énoncé de la solution d'un problème mal défini. (« La rumeur comme résolution d'un problème mal défini. » *Cahiers internationaux de sociologie,* vol. LXXXVI, 1989, pp. 117-122. Citation, p. 118.)

35. Cf. Lydia Flem, *La Rumeur..., op. cit.,* p. 12, à propos des travaux de Gordon Allport et de Léo Postman; notamment, *The Psychology of Rumor,* New York, Henry Holt, 1947.

36. *Ibid.,* pp. 15-16; analyse des travaux de Floyd Allport et Milton Lepkin.

37. L'annonce du drame de Hautefaye ne fera pas taire les rumeurs. Le 20 octobre, un habitant de Javerlhac dément, dans *le Nontronnais,* être l'auteur du bruit qui court sur le colonel Albert Moreau de Saint-Martin. Celui-ci se voit, en effet, accusé d'avoir fait passer des sommes d'argent aux Prussiens. Fait rapporté, sans référence, par Georges Marbeck, in *Hautefaye, L'année terrible,* Paris, Robert Laffont, 1982, p. 325.

38. Gabriel Palus, dossier cité, *Arch. dép. Dordogne* J 1431.

39. Cf. Éliane de Rigaud, *La fête du roi sous la monarchie de Juillet.* Mémoire de maîtrise, Université de Paris-I, octobre 1989.

40. A ce propos, les analyses de Mathieu Truesdell, « La Révolution française et ses reflets dans les célébrations officielles du Second Empire », *L'Image de la Révolution française, op. cit.*, t. 3, pp. 2147-2152. La portée de cette fête nationale déborde le cadre français; en 1858 et en 1860, le 15 août est fêté par les Italiens partisans de l'unité; c'est une façon pour eux de célébrer le principe des nationalités. Cf. Hélène Bureau, *L'Image de l'Italie et des Italiens à travers la correspondance politique des consuls de France en Italie,* mémoire de maîtrise, Université de Paris-I, juin 1989, pp. 183-184.

41. Cf. Bernard Ménager, *Les Napoléon du Peuple..., op. cit.*, pp. 153-157 et Udo Zembol, *La fête du 15 août sous le Second Empire.* Mémoire de maîtrise, Université de Paris-I, octobre 1989. Voir aussi René Boudard, « La célébration de la fête de l'empereur sous le Second Empire », *Mémoires de la Société des Sciences naturelles et archéologiques de la Creuse,* n° 31, 1953, pp. 436-444.

42. Cf. l'abondante correspondance des maires à ce sujet, *Arch. Dép. Dordogne* 1 M 96. Les exemples et citations qui suivent sont extraits de ce dossier.

43. Nous parlons de l'institution, car nombre de communes rurales du Nontronnais sont dépourvues du bâtiment que ce mot évoque aujourd'hui.

44. Par exemple en 1869.

45. Façon, bien entendu, de repérer les opposants qui se dispensent d'illuminer.

46. A ce propos, voir Rosemonde Sanson, *Les 14 juillet. 1789-1975, fête et conscience nationale,* Paris, Flammarion, 1976.

47. A Saint-Astier, en 1865, les cloches sonnent une demi-heure, dès le 14 août.

48. Le dossier cité des *Arch. Dép.* ne contient malheureusement pas de relation sur la fête du 15 août à Hautefaye.

49. C'est d'ailleurs l'avis des principaux intéressés à la tenue de cette foire. Les *Arch. Dép.* de la Dordogne (8 M 14) possèdent une carte très précise du rayon d'influence de la foire de Hautefaye; il est bien de vingt kilomètres. Cf. la carte, pp. 162-163

50. Malheureusement, nous ne disposons pas, en ce qui concerne la période 1815-1870, de travail comparable à celui que Dominique Margairaz vient de consacrer à la fin de l'Ancien Régime, à la Révolution et à l'Empire (*Foires et marchés dans la France préindustrielle,* Paris, Hautes Études en Sciences sociales, 1988). Notons que la Dordogne s'inscrit alors dans une région qui se caractérise par la densité du semis des foires. En outre, il faut savoir qu'à partir de l'an III, le réseau tend à s'étoffer. Entre 1770 et 1820, l'essor numérique des réunions marchandes concerne avant tout les foires à bestiaux.

Ralph Gibson (*thèse citée,* t. 2, p. 179) cite *Le Calendrier de la Dordogne* de 1847; il y aurait alors 135 foires dans le département, mais il semble que seules figurent sur ce document les manifestations les plus importantes.

51. Tableau figurant dans le même dossier qu'une lettre du sous-préfet de Nontron au maire de Hautefaye, 18 juillet 1821, *Arch. Dép. Dordogne* 8 M 14.

52. Les foires s'insèrent souvent dans un subtil réseau commercial dont le but est de drainer le bétail, pour le conduire, par étapes, vers des centres de rassemblement (Dominique Margairaz, *op. cit.,* p. 147).

53. A la fin de l'Ancien Régime, les foires qui durent trois jours sont assez rares (*ibid.,* p. 90). Plusieurs témoignages, dont celui du jeune Villard, précisent bien que la réunion marchande ne se cantonne pas au 16 août; reste que cette journée constitue la date de la foire accréditée.

54. Lettre des notables de Hautefaye et pétition des maires du voisinage adressées au ministère, 1er mai 1836. *Arch. Dép. Dordogne* 8 M 14.

55. Registre des délibérations municipales de la commune de Hautefaye, 29 mars 1869, *Arch. Dép. Dordogne* E Dépôt.

56. Isac Chiva, « Les places marchandes et le monde rural », *Foires et marchés ruraux en France. Études rurales,* avril-décembre 1980, p. 7.

57. Dans un chapitre consacré aux représentations de la foire, Dominique Margairaz (*op. cit.,* pp. 203 sq.) souligne l'importance particulière de ces réunions dans l'imaginaire du petit propriétaire.

58. On ignore si le foirail de Hautefaye était fréquenté par ces « accordeurs » dont le rôle était de se faire intermédiaires au cours des transactions.

59. Cf. les manifestations festives qui accompagnent le concours du comice de Nontron, le 14 septembre 1862 (*Arch. Dép.* 7 M 59). Le soir, l'illumination est presque générale dans la ville, le café italien se distingue par la splendeur de ses lumières; un immense transparent allégorique décore la façade de l'Hôtel de Ville; un feu d'artifice éclate dans la soirée avant que ne s'ouvre « un bal, comme on n'en voit qu'à Nontron ». A l'évidence, les paysans devaient se sentir plus à l'aise sur le foirail de Hautefaye; même ceux qui étaient désireux d'obtenir « l'aiguillon d'honneur » remis au vainqueur du concours de labourage qui se déroulait le matin, avant la célébration de « la messe du comice ».

60. Cf. Témoignage de M. Villars, 9 octobre 1870 (*Arch. Dép.* 1 M 41).

61. Le sous-préfet de Nontron le soulignait déjà en 1821 (*Arch. Dép.* 8 M 14).

62. Dominique Margairaz (*op. cit.*, p. 142) souligne leur existence à la fin du XVIIIe siècle. « Bon nombre des rendez-vous agricoles, écrit-elle, ont pour cadre un tout petit village, parfois même situé à l'écart de tout moyen de communication plus praticable qu'un mauvais chemin de terre. »

63. Récapitulatif annuel d'activité, *Arch. Nat.* F7 3981.

64. Certaines de ces foires subsisteront, telle celle qui se tient dans le hameau des Hérolles, près de Bellac, étudiée par Christian Zarka (« Les fonctions marchandes et leurs traces dans le paysage », in *Foires et marchés ruraux...*, *op. cit.*, pp. 253 sq.). La lecture de cet article consacré à une foire qui ressemble par bien des traits à celle de Hautefaye s'est révélée très enrichissante.

65. Rapport daté du 16 avril 1853 (sans doute émanant de la gendarmerie), *Arch. Nat.* F1 c III Dordogne 11.

66. Rapport de gendarmerie, 12 mai 1853, *ibid.*

67. Note du ministère de l'Intérieur, 27 mai 1853, *ibid.*

68. Sur le rituel de la foire aux bestiaux, dans la région, tel qu'il se déployait en 1900, cf. Marie-Claude Groshens, « La fin des foires et la persistance des marchés en Périgord », *Foires et marchés ruraux...*, *op. cit.*, pp. 176 sq.

69. Isac Chiva, *art. cité,* p. 7.

70. Sur ces aspects, étudiés non loin du Périgord, voir Pierre Lamaison : « Des foires et des marchés en Haute-Lozère », *Foires et marchés ruraux...*, *op. cit.*, pp. 199 sq.

71. La foire citadine, ne l'oublions pas, est l'occasion pour le paysan de fréquenter les prostituées (cf. Alain Corbin, *Les Filles de Noce,* Paris, Aubier, 1978, pp. 224 sq. et, plus précisément, Jacques Termeau, *Maisons closes de province.* Le Mans, éditions Cénomane, 1986, p. 185). Il en est de même à York, selon Frances Finnegan.

72. Lors de l'enquête agricole orale de 1866, les notables interrogés ne cessent, pour toutes ces raisons, de vitupérer les foires.

73. Sur 91 batailles ou bagarres de villages qui se sont déroulées dans le Lot voisin entre 1815 et 1850, quarante-trois (45 %) ont eu pour cadre un foirail. En 1821, le préfet a même envisagé d'interdire les foires. La Dordogne apparaît, il est vrai, beaucoup moins touchée par ce fléau que le nord-est du département voisin, affecté par le cycle des violences « vindicatoires » (François Ploux, *Les bagarres de village (1815-1850). Contribution à l'étude des formes collectives de la violence en milieu rural.* Mémoire de maîtrise, Paris-I, 1989). Dominique Margairaz (*op. cit.*, p. 205) souligne, elle aussi, que la foire est un lieu de violence au XVIIIe siècle.

74. La foire participe de cette *drinking culture* sur laquelle se penchent les historiens de Berkeley, sous la direction de Susanna Barrows.

75. Signalé par le procureur général, 1859 (*Arch. Nat.* BB30 374).

Les autorités ont même fait fermer un café de Nontron à l'intérieur duquel on perdait des sommes considérables *les jours de foire* et de marché.

76. Souligné par Christian Zarka, *art. cité,* p. 254, à propos de la foire des Hérolles.

77. Rapport du préfet, 7 juin 1870, *Arch. Nat.* F^1 c III Dordogne 7.

78. La presse régionale consacre au fléau toute une série d'articles. Gabriel Palus les a réunis en dossier, *Arch. Dép.* J 1431, par exemple : *L'Écho de la Dordogne* (n° des 10, 24, 25 juin et 2 juillet). La citation est extraite du numéro du 6 juin.

Le Nontronnais lui aussi rapporte le fléau; cf. le numéro du 11 juin figurant in Georges Marbeck, *Cent documents..., op. cit.*, p. 53.

79. Rapport du 9 juillet 1870, *Arch. Nat.* BB^{30} 390.

80. Cf. *infra,* p. 117.

81. Isac Chiva, *art. cité,* p. 10.

82. Isac Chiva, *art. cité,* p. 11.

83. Cf. Maurice Robert (sous la direction de), *Limousin et Limousins, image régionale et identité culturelle,* Limoges, Souny, 1988; et, dans une perspective historique, l'échec d'un processus inverse, Caroline Girard : *Des mangeurs de châtaignes aux bâtisseurs de la Nation. La fabrication d'une contre-image limousine...*, Mémoire de maîtrise, Université de Paris-I, 1989.

84. Enquête orale agricole de 1866, cité par Georges Marbeck, *Cent documents..., op. cit.*, p. 10.

85. Cf. Alain Corbin, *Archaïsme et modernité..., op. cit., passim.*

86. Cf. Docteur René Collignon, *Anthropologie de la France. Dordogne. Charente. Corrèze. Creuse. Haute-Vienne.* Mémoire de la Société d'anthropologie de Paris, 1894.

87. Edmond Demolins, *Les Français d'aujourd'hui. Les types sociaux du Midi et du Centre,* Paris, Firmin Didot, 1898.

88. Sur cette affaire Lafarge, le livre le plus récent est celui de Laure Adler, *L'amour à l'arsenic : histoire de Marie Lafarge,* Paris, Denoël, 1986.

89. Ralph Gibson, *thèse citée,* t. 1, p. 259. L'auteur se réfère aux documents figurant in *Arch. Dép. Dordogne* 63 P.

90. Précisions fournies par le maire provisoire, Élie Mondout, 22 septembre 1870, *Arch. Dép. Dordogne* 1 M 41.

91. Dossier in *Arch. Dép. Dordogne* 12 O Hautefaye.

92. *Arch. Dép. Dordogne* 2 U 174, « Fratricide à Hautefaye », décembre 1841.

93. *Arch. Dép. Dordogne* 1 M 41.

94. R. de Laugardière, « Essais topographiques, historiques et biographiques sur l'arrondissement de Nontron, commune de Hautefaye », *Bulletin de la Société historique et archéologique du Périgord,* novembre-décembre 1888, pp. 403-408.

95. Renseignements figurant dans les dossiers des élections municipales, *Arch. Dép. Dordogne* 2 Z 75 et 76.

96. Notons toutefois que six des conseillers municipaux de Hautefaye sont, en 1861, lors de sa fondation, membres du comice agricole de Nontron; mais, l'année suivante, aucun d'eux ne remporte le moindre prix et ne reçoit la moindre prime à l'occasion du concours (*Arch. Dép. Dordogne* 7 M 59).

97. Charles Ponsac, *Le crime d'Hautefaye, op. cit.*

98. Ralph Gibson, *thèse citée,* t. 1, p. 299.

99. *Arch. Dép. Dordogne* 12 O Hautefaye.

100. Hautefaye. Registre des délibérations municipales, *Arch. Dép. Dordogne* E Dépôt.

101. *Arch. Dép. Dordogne* 2 T 27, cité par Ralph Gibson, *thèse citée,* t. 1, p. 259.

102. Brochure de la *Société pour le développement de l'enseignement primaire dans la Dordogne,* 1869. *Arch. Nat.* F[1] c III Dordogne 11.

103. Georges Marbeck, *Cent documents..., op. cit.*, p. 15.

Pour une comparaison avec les départements voisins, voir les cartes que nous avons établies in *Histoire du Poitou, du Limousin et des pays charentais,* Toulouse, Privat, 1976, pp. 418-419.

104. Ralph Gibson, *thèse citée,* t. 2, p. 353.

105. Cf. *supra,* p. 21.

106. Informations, ainsi que celles qui figurent dans le développement qui suit, extraites du registre des délibérations municipales.

107. En fait, il ne s'agit que d'un « desservant », mais pour les habitants de la région, il est un « curé ».

108. Si l'on croit le commissaire cantonal qui l'atteste le 1er novembre 1864, les documents de la municipalité sont bien tenus et les affiches de l'administration régulièrement apposées à Hautefaye (*Arch. Dép. Dordogne* 2 Z 121).

109. Georges Marbeck, *Cent documents..., op. cit.,* p. 49. Selon Alain Bressy (in *Cent documents..., op. cit.*, p. 123), le seul républicain de Hautefaye, un certain Rougier, n'a pu se rendre au bureau de vote. Les électeurs de Beaussac se prononcent, eux aussi, unanimement en faveur de l'empereur; en revanche, à Nontron, 181 votants sur 821 se prononcent pour le NON.

110. *Arch. Dép.* 2 Z 121.

111. *Écho de la Dordogne,* lundi 7 novembre 1870.

112. Cf. Anne-Marie Sohn, « Les attentats à la pudeur sur les fillettes en France – 1870-1939 – et la sexualité quotidienne », in *Violences sexuelles, Mentalités,* n° 3, octobre 1989, pp. 71-111.

113. Excepté dans le cadre des bagarres de villages; mais, en 1870, celles-ci ont cessé d'être pratique courante. Selon François Ploux *(op. cit.),* ce déclin s'accélère à partir du début des années 1840.

Chapitre III

1. Sur ce personnage, on trouvera des renseignements dans le dossier cité, réuni par Gabriel Palus et dans Patrick de Ruffray, *L'Affaire de Hautefaye..., op. cit.*, pp. 41 sq.

2. *Arch. Dép. Dordogne* 2 Z 76. A ces élections, Alain de Monéys est arrivé en tête des candidats. Il a obtenu 118 suffrages et le dernier des conseillers municipaux, 57 seulement. A cette date, le revenu de sa fortune est évalué à quatre mille francs; ce qui indique bien qu'il n'appartient pas à une famille de grands notables. Le dossier Gabriel Palus contient un portrait d'Alain de Monéys et les photos des membres de sa famille.

3. Selon Jean-Louis Galet, *Meurtre à Hautefaye, op. cit.*, pp. 15 sq. L'auteur, malheureusement, ne cite pas ses sources.

4. Rappelons, en outre, que le 8 mai 1870, la totalité des électeurs de Beaussac ont voté OUI au plébiscite.

5. Il est nécessaire de bien connaître le système d'appellation de tous ces hommes : chacun d'eux est connu et désigné par un pseudonyme; aussi n'est-il pas sans intérêt de l'indiquer; d'autant qu'il est souvent significatif. Il peut suggérer l'âge, les caractères physiques, les qualités morales ou bien le lieu de résidence; surtout si l'intéressé a effectué un « mariage en gendre », c'est-à-dire s'il a épousé une héritière.

6. Dans l'esprit de Camille de Maillard, le mot « cartouches » désigne à l'évidence les réserves. On peut penser que les paysans n'ont pas retenu le sens métaphorique.

7. Toutes les citations sans références qui figurent dans ce chapitre sont extraites de l'acte d'accusation et des comptes rendus d'audience, publiés en 1871 par Charles Ponsac sous le titre : *Le crime d'Hautefaye, op. cit.* Nous avons voulu éviter de multiplier à l'excès les notes, en répétant cette référence.

8. Président M. Simonet, *La Tragédie du 16 août 1870, op. cit.*, p. 10.

9. On notera que, dans deux des citations qui précèdent, Alain de Monéys est clairement désigné comme tel; mais il va de soi qu'au moment du procès chacun connaissait la véritable identité de la victime, alors dépouillée de son qualificatif de « Prussien ».

10. Sur le personnage, renseignements figurant dans le dossier cité, rassemblé par Gabriel Palus.

11. Il se trouve aux *Arch. Dép. Dordogne*. Il a été dressé le 31 août 1870. Georges Marbeck l'a reproduit in *Cent documents..., op. cit.*, p. 70.

12. qui est aussi rite de réconciliation, dans le cadre des bagarres (François Ploux, *op. cit.*, p. 129).

13. Connaissant les sentiments catholiques de l'impératrice, le curé ne pouvait que souhaiter voir le nom de celle-ci associé aux vivats destinés au souverain.

14. Dossier cité, *Arch. Dép. Dordogne* J 1431.

15. Charles Ponsac, *Le crime d'Hautefaye, op. cit.*, p. 2.

16. Feytou, alors, « lui lançait des coups de pied dans le bas-ventre en le traitant de charogne ».

17. Sur le massacre du fils Chambert à Buzançais, voir Yvon Bionnier, *Les jacqueries de 1847 en Bas-Berry.* Mémoire de maîtrise, Tours, 1979, et le chapitre 1er : « Buzançais, le 13 janvier 1847 », in Philippe Vigier, *La vie quotidienne en province et à Paris pendant les journées de 1848,* Paris, Hachette, 1982, pp. 35-53.

18. Sur le massacre du gendarme Bidan à Clamecy, le 6 décembre 1851, voir Marc Autenzio, *La Résistance au coup d'État du 2 décembre 1851 dans la Nièvre.* Mémoire de maîtrise, Tours, 1970 et le chapitre XII du livre cité de Philippe Vigier, pp. 319-327.

19. Le massacre des cinquante otages est évoqué, récemment, par P. Duclos in « Une " pétroleuse " convertie : Félicie Gimet et Pierre Olivaint », *Revue d'Histoire de l'Église de France,* t. LXXIV, nº 192, janvier-juin 1988, pp. 53 sq. Cet article contient une précieuse bibliographie.

20. Colin Lucas souligne, à propos de la Terreur Blanche, combien le geste de cruauté prend alors valeur de test de virilité (*Beyond the Terror. Essays in French Regional and Social History. 1794-1815,* Cambridge University Press, 1983, chapitre 6, Colin Lucas, « Themes in Southern Violence after 9 Thermidor », p. 170.)

21. Selon Mlle Marguerite de Maillard, nièce de Camille de Maillard, interviewée par Gabriel Palus en 1936 (*Arch. Dép. Dordogne,* Gabriel Palus, dossier cité).

22. François Ploux, *op. cit.,* p. 88. Certains avanceront que le maire a laissé faire le massacre parce que les Monéys n'étaient pas de la clientèle de son frère, maréchal à Beaussac. Supposition douteuse.

23. Registre des délibérations. Commune de Hautefaye, *Arch. Dép. Dordogne,* E Dépôt.

24. Témoignage de Campot aîné.

25. On notera, qu'à deux reprises, dans notre récit le vivat destiné à l'empereur s'accompagne d'une main levée.

26. Desvars jeune, marchand de porcs qui ne parle que le patois, précisa qu'il a bien entendu proférer ce cri.

27. Le maire provisoire Élie Mondout soutient que les habitants de Hautefaye ont empêché que l'on s'en prenne à celui-ci, qui était présent au moment du drame. (Lettre citée du 22 septembre 1870, *Arch. dép. Dordogne* 1 M 41).

28. La paysannerie régionale est une paysannerie violente; François Ploux, qui étudie les rixes qui opposent les jeunesses de deux villages

entre 1815 et 1880, remarque que 83 % de celles qui se sont déroulées sur le territoire national, se sont produites au sud d'une ligne qui joint la Gascogne au Jura (*op. cit.,* p. 6). La violence de ces bagarres est inouïe : dans 10 % des cas elle débouche sur la mort. Les gestes de cruauté stupéfient les administrateurs. Au cours de ces affrontements, on vise principalement la tête et l'on n'hésite pas à frapper l'ennemi à terre, jusqu'à ce que mort s'ensuive. Les jeunes filles, les vieillards, les individus isolés figurent parmi les victimes désignées des bandes de « célibataires » désireux de conforter par la violence la cohésion du groupe villageois.

29. Point n'est d'ailleurs besoin, étant donné le savoir-faire des paysans lorsqu'il s'agit de tuer une bête. Cf. Noélie Vialles, *Le sang et la chair. Les abattoirs des pays de l'Adour,* préface de Françoise Héritier-Augé, Maison des Sciences de l'Homme, Paris, 1987, p. 51. L'auteur fait remarquer que le mot « tueur », qui désigne un savoir-faire, ne sonne pas ici de manière aussi péjorative qu'à la ville.

30. Mathieu Murguet reconnaît avoir donné un coup de fourche.

31. Rappelons que ce terme dérive de la « loi de Lynch », procédé sommaire attribué à un juge de Virginie, Charles Lynch. Il est fort douteux que les paysans du foirail aient eu connaissance d'un tel modèle.

32. Cf. *infra,* pp. 135-136.

33. Expression utilisée par Emmanuel Le Roy Ladurie, à propos d'une autre période, in *les Paysans de Languedoc,* Paris, Imprimerie nationale, 1966, t. 1, p. 503.

34. Sur tout cela, cf. *infra,* pp. 124 sq.

35. A défaut de pouvoir jeter le cadavre dans un fleuve comme décident de le faire, encore en 1815, les assassins du maréchal Brune.

36. Pratique intense en Périgord.

37. Seul, au procès, Philippe Dubois parle de morceaux de bois sous le corps de la victime, recouvert de paille. Dans l'étude qu'elle consacre à Minot, en Châtillonnais, Yvonne Verdier note, à propos du cochon que l'on vient de saigner : On le « roule *sur* un bûcher de rondins, on le *recouvre* de paille, on met le feu : soies et paille s'embrasent... » (*Façons de dire, façons de faire. La laveuse, la couturière, la cuisinière.* Paris, Gallimard, 1979, p. 29).

38. Celui-ci en effet suit toujours le cortège, ceint de son écharpe (sa « sangle »). On peut penser que cette présence rassurait les massacreurs.

39. Cf. *supra,* p. 105.

40. Yvonne Verdier (*op. cit.,* p. 29) écrit que durant toute la « phase mortuaire, l'agonie est longuement détaillée et commentée ». Cependant, ne cessent « propos et gestes facétieux » qui « marquent tout ce qui entoure le cochon depuis sa mise à mort jusqu'au repas final » (p. 30).

41. Sur cette opération, voir notamment, outre l'ouvrage cité d'Yvonne Verdier, Rolande Bonnain, « Le pêle-porc dans les Baronnies », in Isac Chiva (sous la direction de), *Les Baronnies des Pyrénées,* Paris, Maison des Sciences de l'Homme, 1981, t. 1, pp. 195-218. Ici on « pèle » le porc à l'eau bouillante (p. 201), puis on le flambe; tâches de la première journée de l'opération, qui concerne les hommes. Grâce à l'enregistrement des pratiques effectué, à ce propos, à la fin du siècle dernier par Johannès Plantadis (*Arch. Dép. Corrèze* 11 F 32), il est possible de connaître les façons de faire des paysans d'une région limitrophe du Nontronnais. Ce dossier contient aussi des renseignements intéressants sur le déroulement des foires.

42. Dans le Châtillonnais (Yvonne Verdier, *op. cit.,* pp. 24-25), « en engraissant, le cochon prend nom et rang de « Monsieur », d'« habillé de soies ». Yvonne Verdier signale encore le contraste émotionnel qui oppose « le plaisir un peu ivre à voir couler le sang en abondance, et l'horreur à l'idée de le brûler vif » (pp. 28-29). Signalons pour terminer que lard et saindoux sont les graisses de cuisine du Nontronnais.

43. Notons, toutefois, que la foule ne se précipite pas sur le cadavre brûlé, comme cela était d'usage à l'issue des massacres de naguère.

44. Cf. sa dépêche au Garde des Sceaux, *Service historique de l'Armée de Terre* La 8.

45. L'un et l'autre dans leurs rapports présentés au Congrès historique mondial réuni à Moscou en 1970.

46. George Rudé, *The Crowd in the French Revolution,* Oxford University Press, 1959, traduit en 1982 par les éditions Maspero, sous le titre : *La Foule dans la Révolution française.* Toutefois, l'auteur souligne l'importance de la peur du complot et celle de la rumeur (pp. 248-251); ce que nous retrouvons dans l'affaire de Hautefaye.

47. La passion vindicative constitue l'une des données essentielles de l'anthropologie de la violence artésienne dessinée par Robert Muchembled in *La violence au village (XVe-XVIIe siècles),* Brepols, 1989, pp. 323 sq.

48. Voir à propos de l'« être en compte » chez les ruraux du XIXe siècle, la thèse de Frédéric Chauvaud, *Tensions et conflits. Aspects de la vie rurale au XIXe siècle d'après les archives judiciaires. L'exemple de l'arrondissement de Rambouillet (1811-1871),* Université de Paris-X-Nanterre, janvier 1989.

49. De la même manière, c'est parce qu'ils étaient mal vus pour leur sévérité que les gendarmes de Bédarieux sont abattus un à un par les insurgés qui ont mis le feu au bâtiment dans lequel se retranchaient leurs victimes (Ted Margadant, *French Peasants in Revolt..., op. cit.,* p. 280).

50. Raymond Verdier (sous la direction de), *La Vengeance dans les sociétés extra-occidentales,* Paris, éditions Cujas, 1980, t. I, notamment la contribution de Raymond Verdier : « Le système vindicatoire ».

51. Cf. Colin Lucas, *Beyond the Terror..., op. cit.*, et Lewis Gwynn, « La Terreur Blanche et l'application de la loi Decazes dans le département du Gard (1815-1817) », *Annales historiques de la Révolution française,* n° 175, 36e année, janvier-mars 1964. L'auteur souligne de quelle manière la loi Decazes est utilisée dans le Gard comme un instrument de vengeance (pp. 181-182); on déterre alors toutes les vieilles affaires; la « bagarre » de Nîmes de 1790 trouve là sa lointaine revanche. Il va de soi que la compréhension des comportements politiques dans cette région précise implique l'étude du fonctionnement du « système vindicatoire ».

52. Cf. Gérard Courtois, « La vengeance, du désir aux institutions », in *La Vengeance..., op. cit.,* t. 4, dirigé par Gérard Courtois.

53. Selon François Ploux *(op. cit.,* p. 9), l'âge moyen des protagonistes est de vingt-sept ans.

54. Pour reprendre le titre de l'ouvrage classique de Richard Cobb, *La Protestation populaire en France – 1789-1820;* la plus récente traduction : Paris, Presses Pocket, 1989.

55. Voire dans d'autres parties du monde, cf. Pierre Barral, *rapport cité* (Congrès de Moscou).

56. Mikhaïl Bakhtine, *L'œuvre de François Rabelais et la culture populaire au Moyen Age et sous la Renaissance,* Paris, Gallimard, 1970.

57. En effet, tandis qu'Alain de Monéys se tient à l'intérieur de l'étable à moutons, l'un des insurgés clame : « Ah! tu as pris ton café dans de belles chambres cirées, nous te le ferons prendre dans cette étable. »

58. On sait l'importance du thème de l'ennemi caché comme moteur des mouvements révolutionnaires.

59. Pierre Caron, *Les massacres de septembre,* Paris, Maison du Livre français, 1935. Notons que le même Pierre Caron s'est intéressé à l'affaire de Hautefaye; il s'est employé, en vain, à retrouver le dossier des assises de Périgueux.

60. Paul Nicolle, « Les meurtres politiques d'août-septembre 1792 dans le département de l'Orne. Étude critique », *Annales historiques de la Révolution française,* n° 62, mars-avril 1934, pp. 97 sq. A Bellême, par exemple, l'abbé Portail, qui refuse le serment, est écrasé de coups de bâtons et de bûches; les émeutiers invitent les témoins à frapper pour donner la preuve de leur civisme. Le cadavre est décapité; la tête est promenée en cortège dans toute la ville; derrière, « une foule d'enfants » traîne le corps (p. 109).

61. Cf., à propos du Limousin, Alain Corbin, *Archaïsme et Moder-*

nité..., op. cit., t. 1, *passim.* Marcel Vigreux attribue, lui aussi, une grande importance à ce phénomène dans l'étude qu'il consacre au Morvan.

62. A ce point de vue, il se dessine comme antithétique des enlèvements d'enfants survenus dans le Paris de 1750. Arlette Farge et Jacques Revel, en effet, dans l'étude qu'ils consacrent à l'événement (*Logiques de la foule. L'affaire des enlèvements d'enfants, Paris, 1750,* Paris, Hachette, 1988) montrent que cette violence signifie que le peuple n'aime plus ses rois.

63. Nous employons le terme « éclairé » afin de mieux nous faire comprendre; mais, encore une fois, il convient de se méfier d'une méthode d'analyse qui disqualifie a priori la rationalité des comportements politiques de la paysannerie et qui décrète la primitivité des attitudes; façon de cacher son ignorance et son incompréhension des phénomènes.

64. L'adjectif prend ici tout son sens; certains commentateurs de la *Vie de César* publiée par Napoléon III se sont plu à dire que le XIXe siècle français a rejoué l'histoire romaine; la fin de la République a été dominée par la figure du conquérant, César-Napoléon Ier; ensuite, est advenu le règne de l'empereur bâtisseur de la grandeur et de la prospérité, Auguste-Napoléon III. Cf. Corinne Boudin, *Napoléon III, César et la Gaule : archéologie et images du pouvoir sous le Second Empire.* Mémoire de maîtrise, Université de Paris-I, 1989.

65. Sur cette fonction de la violence structurante, voir Michel Maffesoli, *Essais sur la violence, banale et fondatrice,* Paris, Librairie des Méridiens, 1984. Travail intéressant consacré aux situations paroxystiques, qui souligne la *transparence de la cruauté* et surtout la capacité de la violence à collectiviser le destin et donc à exorciser la solitude. Ces analyses s'appliquent bien à la foule du foirail de Hautefaye. Elles soulignent du même coup l'extrême intérêt de l'étude du massacre pour les historiens désireux de pénétrer les comportements des catégories qui n'ont guère laissé d'autres traces que sanglantes.

66. L'article décisif de Georges Lefebvre, « Les Foules révolutionnaires », vient d'être réédité par les éditions Armand Colin, *La grande peur de 1789, op. cit.* Jacques Revel, dans sa présentation, dresse le bilan des travaux consacrés à cette difficile histoire de l'émergence de la psychologie des foules. Voir notamment les analyses divergentes de Serge Moscovici, *L'Age des foules. Un traité historique de psychologie des masses,* Paris, Fayard, 1981, et de Susanna Barrows, *Distorting Mirrors. Visions of the Crowd in Late Nineteenth Century France,* New Haven and London, Yale University Press, 1981, en cours de traduction aux éditions Aubier. Sans oublier le classique Robert A. Nye, *The Origins of Crowd Psychology : Gustave Le Bon and the Crisis of Mass Democracy in the Third Republic,* Londres, 1975.

67. René Girard, *Des choses cachées depuis la fondation du monde,* Paris, Bernard Grasset, 1978 et Livre de Poche, 1986, p. 163, éditions Livre de Poche.

68. Il faut toutefois souligner que, selon René Girard, il convient de se méfier de toute lecture d'événements récents effectuée à la lumière de ses travaux. Cela dit, on ne peut s'empêcher d'évoquer ces derniers tant ils s'imposent à l'analyste de l'affaire de Hautefaye.

69. René Girard, *Des choses cachées..., op. cit.*, pp. 42 et 57.

Chapitre IV

1. Dans les pages qui suivent, il ne saurait être question, cela va de soi, de faire l'histoire des manières de massacrer et de ressentir l'horreur; nous voulons simplement désigner les nombreux travaux qui permettent de suivre les temps forts de l'évolution.

2. Emmanuel Le Roy Ladurie, *Les Paysans de Languedoc..., op. cit.* et *Le carnaval de Romans : de la Chandeleur au mercredi des cendres. 1579-1580,* Paris, Gallimard, 1979. Frank Lestringant, « Catholiques et cannibales. Le thème du cannibalisme dans le discours protestant au temps des guerres de religion », in *Pratiques et discours alimentaires à la Renaissance,* Paris, Maisonneuve et Larose, 1982, pp. 233-247, auquel nous empruntons les courtes expressions qui suivent. Denis Crouzet, *La violence au temps des troubles de religion (vers 1525-vers 1610).* Thèse, Université de Paris-IV, 1988.

3. Denis Crouzet, *thèse citée,* p. 26. Nous empruntons aussi à cet auteur les courtes expressions citées précédemment (*thèse citée,* p. 123).

4. Denis Crouzet, *thèse citée,* pp. 217 sq.

4bis. Denis Crouzet, *thèse citée,* p. 231.

5. Denis Crouzet, *thèse citée,* pp. 235 et 245.

6. Denis Crouzet, *thèse citée,* p. 737 et, pour les lignes qui suivent, pp. 255-281.

7. Cf. Janine Garrisson-Estèbe, *La Saint-Barthélemy.* Bruxelles-Paris, Complexe-PUF, 1987.

8. Processus de résorption de la violence rituelle repéré par Denis Crouzet, *thèse citée,* p. 1017.

9. *Ibid.,* p. 1567.

10. Emmanuel Le Roy Ladurie, cf. note 33, p. 188. Pour le paragraphe qui suit, voir *Les Paysans de Languedoc, op. cit.*, t. 1, pp. 391-415, pp. 493-508 et pp. 605-629.

Voir aussi les travaux cités d'Yves-Marie Bercé et le livre de Nicole Castan, *Les Criminels de Languedoc. Les exigences d'ordre et les voies du ressentiment dans une société pré-révolutionnaire. 1750-1790.* Publications de l'Université de Toulouse-Le Mirail, 1980; notamment l'analyse des « pulsions brutales » qui se traduisent dans la violence populaire, la résistance à la souffrance (pp. 196 sq.) et la désinvolture des témoins à l'égard de celle-ci.

11. Michel Bée, « Le spectacle de l'exécution dans la France d'Ancien Régime », *Annales. Économies. Sociétés. Civilisations,* juillet-août 1983, n° 4, pp. 847-848. Voir aussi à propos d'une autre aire géographique, Pieter Spierenburg, *The Spectacle of Suffering. Executions and the Evolution of Repression : from a Preindustrial Metropolis to the European Experience,* Cambridge University Press, 1984, et Thomas W. Laqueur, « Crowds, Carnival and the State in English Executions. 1604-1868 ». *Great-Britain. The First Modern Society : Essays in Honour of Laurence Stone,* Cambridge University Press, 1989.

12. Louis-Sébastien Mercier cité par Michel Bée, *art. cité,* p. 845. Sur le déroulement du supplice d'Ancien Régime, voir aussi Arlette Farge, *La vie fragile, violence, pouvoirs et solidarités à Paris au XVIIIe siècle,* Paris, Hachette, 1986, pp. 206 sq. Voir enfin le numéro 1 de la revue *Mentalités, Affaires de Sang,* 1988, présenté par Arlette Farge.

13. Emmanuel Le Roy Ladurie, *Les Paysans de Languedoc, op. cit.,* t. 1, pp. 608 sq., à propos de l'apaisement des comportements catholiques à la fin du XVIIe siècle.

14. Sur cet épisode, cf. Pierre Rétat (sous la direction de), *L'Attentat de Damiens. Discours sur l'événement au XVIIIe siècle,* Presses Universitaires de Lyon, 1979.

15. Voir l'ouvrage classique de David Bakan, *Disease, Pain and Sacrifice; Toward a Psychology of Suffering,* Chicago, University Press, 1968, et, tout récemment, le bel article de Jean-Pierre Peter qui souligne, à la fois, la précision de la rhétorique des médecins, analystes de la douleur, et la crainte des chirurgiens de voir l'atténuation de celle-ci entraîner la fin de la dramaturgie héroïque qui fonde leur prestige. (« Silence et cris. La médecine devant la douleur ou l'histoire d'une élision ». *Le genre humain,* 18, automne 1988, pp. 177-194.)

16. Cf. Thomas W. Laqueur, « Bodies, Details and the Humanitarian Narrative », présenté à l'université de Princeton, printemps 1987.

17. Cf. les analyses de Julia Kristeva, *Pouvoirs de l'horreur. Essai sur l'abjection,* Paris, Le Seuil, 1980, notamment pp. 9-10, sur la révolte de l'être face au « surgissement massif et abrupt d'une étrangeté qui [...] harcèle maintenant comme radicalement séparée, répugnante », comme « impropre ».

18. Arlette Farge, *La vie fragile..., op. cit.,* p. 217.

19. Arlette Farge, *ibid.,* p. 210.

20. Sur ces deux processus, cf. les deux livres classiques de Michel Foucault, *Surveiller et Punir, naissance de la prison,* Paris, Gallimard, 1975, 1re partie, « Supplice », pp. 9-72 et *Naissance de la Clinique,* Paris, Galilée, 1963.

21. Sur ce basculement et « les formes de haut-le-cœur » éprouvées à ce moment, intéressantes notations in Jean-Clément Martin, « Le sang impur de la Révolution », *Affaires de sang, op. cit.*, pp. 111-124.

22. Bernard Conein, « Le tribunal et la terreur du 14 juillet 1789 aux massacres de septembre », *Les Révoltes logiques,* n° 11, hiver 1979-1980, p. 7. L'auteur a depuis soutenu une thèse consacrée à ce sujet.

23. Cf. le bel article de Marc Richir, « La trahison des apparences », *Le Genre humain,* hiver 1987-1988, *La Trahison,* pp. 139-156.

24. Bernard Conein, *art. cité,* p. 7, ainsi que la citation qui suit, note 25.

25. Le 16 juillet 1789, les têtes de Flesselles et de Launay – massacrés le 14 – sont ainsi présentées à une assemblée des électeurs, en l'église Saint-Roch, à l'intérieur d'un « torchon enfilé dans un bâton ». Le paquet dénoué, on exhibe les têtes en les tenant par les cheveux, comme sait le faire le bourreau.

25bis. Bernard Conein, *art. cité,* p. 6.

26. *Ibid.*, p. 9 (cite *Le Moniteur,* t. XIV, p. 463).

27. *Ibid.*, p. 10.

28. Michel Bée, *art. cité,* p. 857.

29. Daniel Arasse, *La Guillotine et l'imaginaire de la Terreur,* Paris, Flammarion, 1987.

30. Mona Ozouf (« Guerre et terreur dans le discours révolutionnaire : 1792-1794 », *La Bataille, la gloire, 1745-1871,* Université de Clermont-Ferrand, 1985, t. 1, pp. 288-289) analyse le discours honteux des leaders face à l'irruption incongrue de la violence aveugle dans le cours de la Révolution. Ils craignent que celle-ci ne s'en trouve souillée. Ils utilisent une double tactique pour parer à ce danger; les uns, tel Roland, s'efforcent de jeter le voile, et refusent le récit; d'autres accentuent l'évocation des traits de sensibilité, multiplient les « anecdotes compensatoires ». Mais l'essentiel est bien que le déchaînement de l'horreur souffle à Danton et à Robespierre l'organisation de la Terreur, perçue comme un « abcès de fixation ».

31. Cela fait l'objet d'un débat relaté par Daniel Arasse.

32. Processus peut-être encore plus net en Angleterre, malgré la différence d'instrument du supplice. Le livre classique d'Edward P. Thompson, *La formation de la classe ouvrière anglaise* (Paris, Gallimard-Le Seuil, 1988) est ainsi imprégné de ce discours ultime.

33. Malgré l'abondance de livres de qualité qui traitent de cet épisode – notamment ceux de Charles Tilly, de Claude Petitfrère et de Jean-Clément Martin – et malgré les abondants travaux collectifs, nous manquons d'une étude d'anthropologie spécifiquement consacrée aux conduites de cruauté adoptées durant ce conflit. Pour l'historien, il s'agit cependant d'un théâtre privilégié, sur lequel s'opposent,

s'amalgament ou s'additionnent la libération des pulsions dionysiaques des foules en liesse, les balbutiements des massacres sérialisés, le déploiement de conduites sadiques individuelles. Le livre que doit publier prochainement Jean-Clément Martin aidera sans doute à y voir plus clair.

34. Sur l'ascension de la figure des « cannibales », cf. Bronislaw Baczko, *Comment sortir de la Terreur, op. cit.*, pp. 288-304 (« Vandales et cannibales » et « Un peuple à civiliser »).

35. L.M. Prudhomme, *Histoire générale et impartiale des erreurs, des fautes et des crimes commis pendant la Révolution française,* an V (1797), t. 1, avis.

36. *Ibid.*, p. IV.

37. *Ibid.*, t. 3, p. 149.

38. Sur tous ces épisodes, voir notamment Henry Houssaye et Colin Lucas, *op. cit.*

39. Jean-Pierre Peter, *art. cité.*

40. Nous avons tenté d'analyser rapidement ce processus in *Histoire de la vie privée,* Paris, Le Seuil, t. 4, Michelle Perrot (sous la direction de), « De la Révolution à la grande guerre », pp. 436 sq. On trouvera de précieux renseignements sur l'histoire de la sensibilité in Daniel Teysseire, *De la vie dans les rapports du Physique et du Moral de l'homme de Cabanis,* ENS, Saint-Cloud, 1982. Sur ce philosophe, voir le livre classique de Martin S. Staum, *Cabanis : Enlightenment and Medical Philosophy in the French Revolution,* Princeton University Press, 1980.

41. Sur les réactions de l'opinion médicale au moment de cette irruption, cf. Marie-Jeanne Lavilatte-Couteau, *L'anesthésie : un embarras éthique. Contribution à une histoire mentale de l'anesthésie – 1846-1850.* Mémoire de maîtrise, Tours, 1987.

42. Ainsi que l'équarissage. Parent-Duchâtelet a réfléchi à la réforme des deux types d'établissements. Cf. entre autres essais, « Projet d'un rapport [...] sur la construction d'un clos central d'équarrissage pour la ville de Paris », *Hygiène publique,* Paris, J.-B. Baillière, 1836, t. II, pp. 320 sq., et *Les chantiers d'équarrissage de la ville de Paris...*, 1832, *passim.*

43. Noélie Vialles, *Le sang et la chair..., op. cit.*, pp. 15-16. Le mot « abattoir », note cette historienne, apparaît en 1806. Voir du même auteur : « L'âme et la chair : le sang des abattoirs », *Affaires de Sang, op. cit.,* notamment la page 146 d'où est extraite la citation.

44. Cf. Maurice Agulhon, « Le Sang des bêtes », *Romantisme,* n° 31, 1981.

45. Voir Louis Chevalier, *Classes laborieuses et classes dangereuses à Paris pendant la première moitié du* XIX*e siècle,* Paris, Plon, 1958, pp. 78-85.

46. Philippe Ariès, *L'homme devant la mort,* Paris, Le Seuil, 1977.

47. Parent-Duchâtelet (Jean-Baptiste), « De l'influence et de l'assainissement des salles de dissection », *Hygiène publique, op. cit.*, t. II, pp. 10 sq.

Jean-Claude Caron (*La Jeunesse des Écoles à Paris, 1815-1848.* Thèse, Université de Paris-I, 1989, t. 1, pp. 267, 269-270, 312, 359, 432) analyse cette sensibilité nouvelle qui rend peu à peu intolérable la désinvolture dont font preuve certains étudiants à l'égard des débris de cadavres, qu'ils abandonnent dans la rue ou qu'ils emportent chez eux afin de les disséquer à loisir. En décembre 1842, l'étudiant Porcheron exhibe un bras d'enfant au théâtre du vaudeville. Cette facétie lui vaudra de comparaître, le 3 mai 1843, devant le conseil académique.

48. Cf. Allan Mitchell, « The Paris Morgue as a Social Institution in the Nineteenth Century », *Francia,* 1976, t. 4, pp. 581-596 et 992-993.

49. Norbert Elias, *La dynamique de l'Occident,* Paris, Calmann-Lévy, 1975 ; notamment p. 287 sur le « conditionnement pulsionnel » qualifié de bourgeois.

Charles, Louise et Richard Tilly, *The Rebellious Century. 1830-1930,* Cambridge, Harvard University Press, 1975, pp. 49-86 ; premiers auteurs a avoir été attentifs à la mutation et au relais des formes de la violence collective et politique.

50. Intolérance à la visibilité de l'épanchement du sang à mettre en relation avec celle qui grandit à l'égard des odeurs fortes, animales (cf. notre livre *Le miasme et la jonquille. L'odorat et l'imaginaire social,* Paris, Aubier, 1982). Dans un autre domaine, *le Conseiller du Peuple* s'indigne, en juin 1851, que le peuple se soit arrogé « le droit de hurlement dans les édifices, droit qui n'a été accordé aux hommes que dans les forêts... ». Cité par Pierre Michel, *Un mythe romantique : les Barbares. 1789-1848,* Presses Universitaires de Lyon, 1981, p. 306.

51. Pierre Rétat, *L'Attentat..., op. cit.,* p. 265.

52. Cité par Pierre Michel, *Un mythe romantique, op. cit.,* p. 216.

53. Pierre Rétat, *L'Attentat..., op. cit.,* p. 265.

54. Georges Benrekassa, « Histoire d'un assassinat. La mort de Marat dans l'historiographie du XIXe siècle », in Jean-Claude Bonnet et autres, *La Mort de Marat,* Paris, Flammarion, 1986.

55. Jean-Claude Bonnet, *op. cit.*, p. 304.

56. Pour reprendre une célèbre formule de Victor Hugo. Très intéressantes, à ce propos, les notes de Guy Rosa figurant dans l'édition des *Misérables,* Paris, le Livre de Poche, 1984.

57. Mario Pra.. (*La chair, la mort et le diable dans la littérature du XIXe siècle : le romantisme noir,* Paris, Denoël, 1977) a étudié la façon dont s'effectue la découverte de l'horreur comme source de plaisir et de beauté. Il souligne ainsi le cas exemplaire de *l'Ane mort* de Jules Janin, type du « roman-charogne », qui commence par la

description d'un abattoir pour chevaux et se clôt sur la violation d'une tombe (pp. 125-127). Il analyse, dans cette perspective, l'œuvre de Petrus Borel.

58. Sans oublier le premier chapitre du classique ouvrage de Raoul Girardet (*La société militaire dans la France contemporaine (1815-1939)*, Paris, Plon, 1953, chap. 1er, « le rôle de l'armée à partir de 1830 dans la répression des troubles »), signalons deux exceptions récentes et de qualité : Société d'histoire de la Révolution de 1848 et des révolutions du XIXe siècle. *Maintien de l'ordre et polices en France et en Europe au XIXe siècle*, Paris, Créaphis, 1987 et *Répression et prison politiques au XIXe siècle*, Paris, éditions Créaphis, 1990.

59. Rappelons que ce jour-là (13 Vendémiaire, an IV), le général Bonaparte disperse une manifestation de royalistes.

60. Cependant, les signes abondent de cette liaison entre le massacre et l'inauguration de temps nouveaux : la Monarchie de Juillet fonde son pouvoir au fil des quatre premières sanglantes années. Le Second Empire et la IIIe République s'inaugurent par l'épanchement collectif du sang et la IIe République, elle-même, met en place ses institutions au lendemain du massacre de juin 1848.

61. Cf. Bronislaw Baczko, *Comment sortir..., op. cit.*, pp. 295 sq.

62. Pierre Michel, *Un mythe romantique..., op. cit.*, désigne (pp. 528 sq.) les procédures visant au dessin d'un bon peuple. Ce projet serait alors constitutif du bonapartisme.

63. Projet qui structure longtemps la quête des observateurs sociaux.

64. David Pinkney, *La Révolution de 1830 en France*, Paris, PUF, 1988, pp. 291-298, et, plus précisément, John E. Talbott « The Good Workingman : Image and Reality in the Revolutions of 1830 and 1848 », *Missouri Honors Review*, t. 1, pp. 51-55. Sur la peur du nombre, le renversement des images du peuple et l'exorcisme de « la récurrence barbare », cf. Pierre Rosanvallon, *Le Moment Guizot*, Paris, Gallimard, 1985, pp. 83 sq.

65. Cf. Stéphane Massy, *La Commémoration du dixième anniversaire de la révolution de Juillet (28 juillet 1840)*. Mémoire de maîtrise, Université de Paris-I, 1988.

66. Sur les effectifs de ces journées, cf. l'étude récente de Mark Traugott, « The Crowd in the French Revolution of February 1848 », *The American Historical Review*, vol. 93, 3, juin 1988, pp. 638-652.

67. Visée très perceptible dans l'analyse qu'Alexis de Tocqueville effectue dans ses *Souvenirs*. Sur cet épisode, voir Mark Traugott, *Armies of the Poor. Determinants of Working-Class Participation in the Parisian Insurrection of June 1848*, Princeton University Press, 1985.

68. Philippe Vigier, *La Vie quotidienne..., op. cit.*, pp. 325 et 422.

69. Mark Traugott, bon analyste de la violence de 1848, prépare un ouvrage sur la barricade à Paris; il se déclare frappé, lui aussi, par la minutie de l'effacement de la trace du massacre. On ne sait

rien ou presque des faits et des gestes qui constituent l'insurrection de juin 1848. L'histoire de l'événement qui, plus qu'aucun autre, a pesé sur celle des représentations sociales et politiques, est faite de statistiques, de rumeurs vite décrétées sans fondement et d'une littérature romanesque utilisée sans trop de précautions. *Les Misérables* (troubles du début de la monarchie de Juillet) et *L'Éducation sentimentale* (révolution de février 1848) proposent à bon compte des histoires toutes faites de ces périodes décisives.

70. Nous avons évoqué ce cheminement de la peur du monstre in *Histoire de la vie privée..., op. cit.*, t. 4, pp. 564 sq.

71. Jean-Pierre Peter, « Ogres d'archives », *Nouvelle Revue de Psychanalyse,* n° 6, automne 1972.

72. Michel Foucault (sous la direction de), *Moi, Pierre Rivière, qui ai égorgé ma mère, ma sœur, mon frère...,* Paris, Gallimard, 1975, notamment pp. 249 sq.

73. Cf. l'étude du retentissement de l'événement dans la presse provinciale et dans la presse parisienne réalisée par Clarisse Schweitzer, *Le Radeau de la Méduse et l'opinion publique.* Mémoire de maîtrise, Université de Paris-I, 1988.

74. François Ploux, *op. cit.*, pp. 116 sq.

75. Canler dans ses *Mémoires* (Paris, Mercure de France, 1968, pp. 268-272) a relaté ces scènes de cruauté, ainsi que Henri Heine (*De la France,* Paris, Calmann-Lévy, édition 1884, pp. 138-140). Le poète prétend avoir assisté au massacre d'un des deux hommes tués rue de Vaugirard. Les vieilles femmes frappaient le moribond de leurs sabots; puis le cadavre avait été dénudé; il fut traîné par les rues, tandis que la foule criait : « Voilà le choléra morbus! » L'épisode est intéressant car il constitue la dernière scène de massacre clairement ritualisé. Cette année 1832 constitue bien une rupture dans le cours de l'histoire du traitement des corps coupables. Henri Heine qualifie le peuple qui commet ces horreurs « d'animal sauvage » (p. 139), « de troupe d'enragés ». « Nul aspect n'est plus horrible que cette colère du peuple, quand il a soif de sang et qu'il égorge ses victimes désarmées. Alors roule dans les rues une mer d'hommes aux flots noirs, au milieu desquels écument çà et là les ouvriers en chemise comme les blanches vagues qui s'entrechoquent... »

76. Sur ces épisodes violents – mais non sanglants –, notamment sur le sac de Dürmenach, voir Dominique Lerch, « Imagerie populaire et antisémitisme : le Haut-Rhin en 1848 », *Gazette des Beaux-Arts,* février 1988, pp. 81-88. En 1832, dans la même région, le pillage des propriétés des juifs s'était accompagné de violence physique.

77. Philippe Vigier, *La Vie quotidienne..., op. cit.*, p. 331.

78. Alcide Dusolier, *Ce que j'ai vu..., op. cit.,* p. 17.

79. Louis Bernard dit Télismart de Casseneuil, *Premier recueil de chansons nouvelles,* Bergerac, de Rooy, 1876; Jean-Louis Galet (*Meurtre à Hautefaye, op. cit.,* p. 97) propose une traduction de cette complainte.

80. *Le crime d'Hautefaye, op. cit.,* Avant-propos.

81. François Ploux, *op. cit.,* p. 59.

82. Charles Ponsac, *op. cit.,* p. 4.

83. Lettre citée par Georges Marbeck, *Cent documents..., op. cit.,* pp. 77-78.

84. Président Simonet, *La Tragédie du 16 août..., op. cit.,* p. 14.

85. Cf. les paroles de François Mazière citées *supra,* p. 104.

86. Lettre figurant dans le catalogue cité de Georges Marbeck, *Cent documents..., op. cit.,* p. 113.

87. *Écho de la Dordogne,* 28 septembre 1870.

88. Charles Ponsac, *Le crime d'Hautefaye, op. cit.,* p. 10, à propos de l'audience du 15 décembre. Il convient toutefois de se méfier d'un témoignage qui s'inspire de la conception de la femme, alors dominante.

89. Cité par Jean-Louis Galet, *Meurtre à Hautefaye, op. cit.,* p. 64.

90. Gabriel Palus, *dossier cité.*

91. Alcide Dusolier, *Ce que j'ai vu..., op. cit,* p. 18.

92. Charles Ponsac, *op. cit.,* p. 4 et la citation qui suit, p. 16.

93. Fait caractéristique, au fil des audiences, les accusés font remarquer que nombre de témoins devraient se trouver sur leur banc.

94. Toutes les citations des paroles des accusés sont extraites du compte rendu d'audience publié par Charles Ponsac.

95. *Arch. Nat.* BB[24] 2037.

96. Président Simonet, *La Tragédie du 16 août..., op. cit., passim.*

97. Patrick Lacoste, *Les Républicains en Dordogne..., op. cit.*

98. Raymond Huard, *Le Mouvement républicain..., op. cit.,* pp. 397-398.

99. Alcide Dusolier, *Ce que j'ai vu..., op. cit.,* p. 17.

100. *Ibid.*

101. Jean Dubois, *Le Vocabulaire politique et social en France de 1869 à 1872,* Paris, Larousse, 1962, pp. 59 et 85-87.

102. Cité par Jean Faury, *Cléricalisme et anticléricalisme..., op. cit.,* p. 91.

103. Lettre figurant dans le catalogue cité, *Cent documents...,* pp. 96 sq., ainsi que les citations qui suivent.

104. Cité par Georges Marbeck, *Hautefaye, l'année terrible..., op. cit.,* p. 315.

105. *Arch. Dép. Dordogne* 1 M 41, dossier sur cette affaire.

106. *Arch. Dép. Dordogne* 1 M 41.

107. Aspect de l'événement sur lequel insiste Alcide Dusolier, cf. *Ce que j'ai vu..., op. cit.,* p. 71. C'est une « date sacrée », estime-t-il (p. 35) en 1874; les conservateurs « n'empêcheront point les géné-

rations à venir de célébrer, comme il convient, en des fêtes civiques qui seront à la fois des fêtes de la liberté reconquise et de l'honneur recouvré, l'anniversaire du 4 septembre ». Il serait intéressant de connaître avec précision la chronologie de l'affaissement de l'enthousiasme des républicains à l'égard de cette « date sacrée », « événement inouï dans l'histoire des peuples ».

108. *Le crime d'Hautefaye, op. cit.,* Avant-propos.

109. Alcide Dusolier, *Ce que j'ai vu..., op. cit.,* pp. 18 et 36.

110. A ce propos, un texte très significatif émanant d'un candidat républicain, le général Jaurès, figure dans la thèse citée d'André Armengaud, *Les Populations de l'Est..., op. cit.,* pp. 480-483.

111. Exclamations de Charles Ponsac, *Le crime d'Hautefaye, op. cit.* (1871). Avant-propos.

112. Cf. la plaidoirie de Maître Millet-Lacombe, Gabriel Palus, *dossier cité.*

113. Dépêche citée in Georges Marbeck, *Cent documents..., op. cit.,* p. 90.

114. Rappelé par le Procureur général de la Cour de Bordeaux, *Arch. Nat.* BB^{30} 359.

115. *Arch. Nat.* BB^{24} 2037.

116. Les trois dépêches citées figurent in *Arch. Nat.* BB^{24} 2037.

117. Procureur général, rapport du 19 août, *Archives du Service historique de l'Armée de Terre* (Vincennes) La 8.

118. Ce fait est rapporté par Jean-Louis Galet, *Meurtre à Hautefaye..., op. cit.,* p. 57.

119. Charles Ponsac, *Le crime d'Hautefaye..., op. cit.,* p. 5.

120. N'oublions pas toutefois qu'il s'agit d'un jury populaire. A ce propos, nous n'avons pu en retrouver la composition. Il serait intéressant de la comparer à celle des jurys de notables qui, sous la monarchie censitaire, avaient eu à juger les accusés mêlés aux troubles populaires. Élisabeth Claverie et Yves Pourcher ont bien montré que les jurys du XIXe siècle, théoriquement représentants de l'intérêt général, jugent selon les normes des particuliers, en fonction des conflits locaux (cf. Élisabeth Claverie, « De la difficulté de faire un citoyen. Les " acquittements scandaleux " du jury dans la France provinciale du début du XIXe siècle », *Études rurales,* n° 95-96, janvier-juin 1984, volume consacré à l'anthropologie de la violence, pp. 143-167 et Yves Pourcher, « Des assises de grâce? Le jury de la Cour d'assises de la Lozère au XIXe siècle », *ibid.,* pp. 167-181).

121. Yvon Bionnier, *Les Jacqueries de 1847 en Bas-Berry, op. cit.,* p. 104.

122. Jean-Louis Galet, *Meurtre à Hautefaye, op. cit.,* pp. 66 et 67.

123. Au rythme d'une par an, environ (*Arch. Nat.* F^{7} 3981).

124. Récit reconstitué à l'aide de Charles Ponsac, *op. cit.* et des documents figurant dans le dossier cité réuni par Gabriel Palus, sans

oublier le compte rendu du *Nontronnais* et celui de *l'Écho de la Dordogne,* 8 février 1871.

125. Selon Maître Biard de Fayemarteau, Hautefaye, interviewé par Gabriel Palus, le 16 août 1935.

126. Pour les citations concernant ces derniers moments, cf. Gabriel Palus, *dossier cité.*

127. Bien décrite et analysée par Arlette Farge, *La Vie fragile, op. cit.,* pp. 223-228.

128. Cité par Georges Marbeck, *Hautefaye, l'année terrible..., op. cit.,* p. 318. Malheureusement, l'auteur n'indique pas les références de ce document.

129. Lettre citée, *supra,* p. 199, note 103.

130. Charles Ponsac, *op. cit.,* p. 16.

131. *Arch. diocésaines* C 55bis, cité par Ralph Gibson, *thèse citée,* t. 1, p. 259.

132. Lettre citée, *supra,* p. 199, note 86.

133. Jean-Louis Galet, *Meurtre à Hautefaye, op. cit.,* p. 91.

134. A propos de la Saint-Barthélemy, des Camisards et de la guerre de Vendée. Cf. propos tenus dans le cadre de la préparation d'un travail sur le rôle et la mémoire des conflits dans l'histoire de France.

135. Par exemple, la vierge rouge qui, dans le Var, a inspiré à Zola le personnage de Miette de *La Fortune des Rougon.* Cf. Maurice Agulhon, *La République au village, op. cit.,* pp. 455 sq. A Hautefaye, il ne s'agit pas d'une militante mais du symbole de la paysannerie écrasée par l'horreur de la guillotine et de l'exécution collective.

136. *Arch. Nat.* C 3540.

137. Stéphane Audoin-Rouzeau, *1870..., op. cit.,* pp. 303-308.

138. Cf. *supra,* pp. 32 sq.

139. Sur cette lutte entre les multiples figures de la République, voir Odile Rudelle, *La République absolue,* Paris, Publications de la Sorbonne, 1982. Sur l'histoire politique de la Dordogne à ce moment, voir aussi les travaux de Bernard Lachaise.

140. L'histoire politique de cette période ne pourra réellement progresser que si l'on consent à mener une véritable étude sociale de l'imaginaire; ce qui implique de se départir de la rigidité des étiquettes qui conduisent à plaquer sur des groupes sociaux ou territoriaux des systèmes de représentations élaborés en dehors d'eux. L'histoire politique s'est focalisée à l'excès sur la diffusion des idéologies qui irradient des élites installées dans les grands centres urbains; elle s'est montrée par trop désinvolte à l'égard des systèmes de représentations et d'appréciation élaborés loin de ces noyaux, et, plus encore, à l'égard des mécanismes de réinterprétation de l'apport extérieur. Une belle thèse toutefois montre, sur certains points, la

voie à suivre : celle de Jean-François Soulet, *Les Pyrénées au XIXe siècle*, Toulouse, Éché, 1987.

Conclusion

1. Nous excluons, bien entendu, la période qui s'étend du 31 mai 1850 au 2 décembre 1851.

TABLE DES MATIÈRES

Prélude 7

CHAPITRE I : LA COHÉRENCE DES SENTIMENTS

La paille et le joug 10
Les fleurs séditieuses 20
Les voleurs de caisses publiques 31
La logique de l'attachement 46

CHAPITRE II : L'ANGOISSE ET LA RUMEUR

L'argent prussien 57
Fête nationale, célébration du souverain 66
La licence du foirail 70
La scène vide 79

CHAPITRE III : LA LIESSE DU MASSACRE...

L'équation victimaire 87
Le calcul de la souffrance 95
« Bourrer » le « Prussien » 100
Le bûcher ou la tribune improvisée 108
Vers le déchiffrement de l'énigme 113

CHAPITRE IV : L'HÉBÉTUDE DES MONSTRES

Le travail de l'horreur 121
La statue de charbon 139
« La populace des paysans » 145
La guillotine aux champs 153

Conclusion 165

Notes 167

Table des matières 203

CET OUVRAGE
A ÉTÉ COMPOSÉ
ET ACHEVÉ D'IMPRIMER
PAR L'IMPRIMERIE FLOCH
À MAYENNE EN FÉVRIER 1990.

N° d'éd. 2013. N° d'impr. 28769.
D.L. : février 1990.
(Imprimé en France)